D0532536

AMOK

ZWEIG

AMOK

Traduction, présentation, notes,
chronologie et bibliographie
par
Diane MEUR

GF Flammarion

Diane Meur, ancienne élève de l'École normale supérieure, a notamment traduit des textes de Paul Nizon, Robert Musil, Heinrich Heine, ou encore Erich Auerbach. Elle a obtenu en 2010 le prix Halpérine-Kaminsky pour l'ensemble de son œuvre de traduction. On lui doit, dans la GF, les éditions de la *Lettre d'une inconnue*, de *Vingt-quatre heures de la vie d'une femme*, d'*Amok* et du *Joueur d'échecs* de Zweig. Elle est par ailleurs l'auteur, chez Sabine Wespieser, de plusieurs romans : *La Vie de Mardochée de Löwenfels écrite par lui-même* (2002), *Raptus* (2004), *Les Vivants et les ombres* (2007) et *Les Villes de la plaine* (2011).

© Flammarion, Paris, 2013.
ISBN : 978-2-0812-2654-8

PRÉSENTATION

En janvier 1927, dans une lettre à un ami, Stefan Zweig dresse ainsi le bilan de ses dernières années :

> Quant à tes objections, j'y souscris entièrement. Je sais que dans *Amok* en particulier la narration est un peu surchauffée. La raison profonde, je la connais maintenant : je trouvais *Erstes Erlebnis* un tantinet trop gentil, trop sucré, trop mou. Ensuite il y a eu la lecture de Dostoïevski, une virilisation et une passion nouvelle, en moi, depuis la guerre : je m'y suis engouffré. Je me disais (ou je sentais) : Maintenant, ce qu'il faut, c'est du véhément, du fort. Du percutant. Les petites choses, les sentiments délicats n'ont plus leur place : à nous les tréfonds, les abîmes ! Et inconsciemment, j'ai donné un peu trop de vapeur. [...] Mais tout ça, *Jérémie*, *Le Combat avec le démon*, etc., c'est une époque que j'aime dans l'ensemble ; c'est bien la haute pression de la guerre qui, avec *Jérémie*, m'a fait sortir ce que j'avais dans le ventre [1].

Amok, fruit d'une « surchauffe » due à la Première Guerre mondiale ? Cette affirmation très elliptique requiert quelques éclaircissements. Tout d'abord, Zweig, par *Amok*, n'entend pas seulement la nouvelle qui nous occupe, mais l'ensemble du recueil au sein duquel il l'avait publiée en 1922 [2]. Ce recueil de cinq

---

1. Lettre du 21 janvier 1927 de Zweig à Richard Specht, collection privée, citée dans O. Matuschek, *Drei Leben. Stefan Zweig. Eine Biographie*, Francfort-sur-le-Main, Fischer, 2006, p. 226-227. Sauf indication contraire, les extraits cités sont traduits par nos soins.

2. *Amok. Novellen einer Leidenschaft*, Leipzig, Insel, 1922. Le titre allemand de la nouvelle n'est pas *Amok* mais *Der Amokläufer*, littéralement *Le Coureur d'amok*.

« nouvelles sur une passion » comprenait aussi la *Lettre d'une inconnue*, *La Ruelle au clair de lune*, *Nuit fantastique* et *La Femme et le paysage*, et de fait tranchait nettement sur l'atmosphère d'*Erstes Erlebnis* [1], ses « Quatre histoires du pays de l'enfance » publiées dès 1911 et qu'il jugeait donc, au début des années 1920, trop « gentilles », trop « sucrées ».

Quant à la « haute pression de la guerre », il convient également d'en dire un mot. La Première Guerre mondiale avait été, pour l'homme de lettres esthète et cosmopolite que Zweig était alors – jeune espoir des lettres austro-hongroises, poète, dramaturge, traducteur de littérature française, belge, anglaise –, un traumatisme profond. Sans combattre lui-même, ayant obtenu un poste aux archives du ministère de la Guerre, il avait cependant, lors d'une mission en Galicie à l'été 1915, pu observer de ses yeux les souffrances des civils, l'état des blessés dans les hôpitaux militaires, l'horrible absurdité de la guerre, et s'était rallié à un pacifisme dont il n'allait plus se départir. Or être pacifiste, en plein conflit, n'était pas une position aisée. Après avoir écrit *Jérémie*, drame pacifiste et, à ce titre, injouable dans les empires centraux, Zweig était donc passé en Suisse à l'automne 1917 pour le faire monter et pour rejoindre là-bas un cercle d'écrivains et d'artistes opposés à la guerre, parmi lesquels Romain Rolland et le graveur belge Frans Masereel.

Voilà en quoi le conflit mondial a été pour lui un tournant, l'arrachement à un monde trop douillet, insuffisamment « viril » et « passionné » à ses yeux – arrachement qu'il a d'ailleurs accompagné de lectures significatives. Désormais assoiffé de démonique, de passionnel, de sanguin, Zweig aura passé les années de guerre à étudier notamment Balzac et Dostoïevski, un

---

1. Nous donnons en allemand les titres des recueils qui n'ont pas été publiés tels quels en français.

Français et un Russe, ce qui reportera à 1920 la publication des essais qui en ont été le fruit [1].

On comprend dès lors pourquoi le recueil *Amok*, contrecoup des expériences de la guerre, est dédié à « Frans Masereel, l'artiste, l'ami fraternel », qui avait déjà illustré plusieurs nouvelles de Zweig et dont les lithographies anguleuses, au trait noir et véhément, n'auraient d'ailleurs pas mal convenu à l'illustration de celle-ci ; pourquoi Zweig s'est empressé d'envoyer à Romain Rolland ces cinq récits « sortis de [s]a vie intime », qui ne sont « pas une confession de foi comme *Les Yeux du frère éternel* que vous avez reçu récemment, pas exactement des choses vécues, mais toutefois enracinées dans mon être », écrit-il dans sa lettre d'accompagnement [2]. Il les envoie aussi à Maxime Gorki, en même temps que le recueil d'essais *Trois Maîtres* dont il espère que la section consacrée à Dostoïevski suscitera son intérêt. « Vous n'êtes nullement obligé de les lire, vous n'avez nul besoin de me remercier. Vous pouvez aussi les offrir à quelqu'un d'autre sans les avoir lus [3] », ajoute-t-il dans un curieux élan de timidité ; Gorki, il le sait pourtant, a vivement admiré la *Lettre d'une inconnue*, et initiera l'édition soviétique des œuvres de Zweig dès 1927.

Romain Rolland aussi réagit à l'envoi avec le plus grand enthousiasme, et ne contribuera pas peu à faire traduire en France les nouvelles en question : de fait, le recueil *Amok* a été déterminant pour la carrière internationale de Zweig, jusque-là embryonnaire. Dans sa préface à *Amok ou le Fou de Malaisie* (1927), l'écrivain

---

1. Zweig, *Drei Meister* ; en français : *Trois Maîtres. Balzac, Dickens, Dostoïevski*, Paris, Le Livre de poche, 1995. Sur la place de Balzac et de Dostoïevski dans l'évolution esthétique de Zweig, voir aussi notre présentation de *Vingt-quatre heures de la vie d'une femme*, éd. et trad. D. Meur, Paris, GF-Flammarion, 2013.

2. Lettre du 11 octobre 1922 (en français) de Zweig à R. Rolland, in Zweig, *Correspondance 1920-1931*, trad. L. Bernardi, Paris, Grasset, 2003, p. 95.

3. Lettre du 29 août 1923 de Zweig à M. Gorki, in *ibid.*, p. 116.

français, loin de souscrire au reproche de surchauffe que l'auteur fait à ce recueil, salue sa vibrante intensité, le talent avec lequel il montre l'« enfer de la passion (*Unterwelt der Leidenschaften*), au fond duquel se tord, brûlé, mais éclairé par les flammes de l'abîme, l'être essentiel, la vie cachée [1] ». Et de citer le sonnet que Zweig avait placé en exergue du recueil, afin de mettre en lumière la dimension féconde, visionnaire de la passion :

> Brûle donc ! Seulement si tu brûles, tu connaîtras dans ton gouffre le monde.

« Brûler » et « connaître le monde », telles sont les deux injonctions complémentaires auxquelles obéit le nouvelliste et, selon Romain Rolland, son trait le plus frappant : « la passion de connaître, la curiosité sans relâche et jamais apaisée, ce démon de voir et de savoir et de vivre toutes les vies, qui a fait de lui un *Fliegender Holländer*, un pèlerin de la civilisation [2] ». Nous retrouverons sur le paquebot de la nouvelle *Amok* ce « Hollandais volant » en la personne du narrateur anonyme qui, comme souvent chez Zweig, est un double de l'auteur, et qui admet dès les premières pages : « Les énigmes psychologiques ont sur moi un pouvoir presque inquiétant, l'envie me démange d'en percer les mécanismes, et les êtres bizarres, par leur simple présence, peuvent déclencher en moi une passion de connaître à peine moins forte que la passion de posséder que m'inspirerait une femme. » Nous le retrouverons jusque sur le paquebot du *Joueur d'échecs* (1942), titillé par la nouvelle énigme que lui offre le champion d'échecs Czentovic, et fort contrarié de ne pouvoir la résoudre, lui chez qui

---

1. R. Rolland, « Préface », in Zweig, *Amok ou le Fou de Malaisie*, trad. A. Hella et O. Bournac, Paris, Stock, 1927, p. 10. Des cinq nouvelles du recueil original, le volume français ne reprend qu'*Amok* et la *Lettre d'une inconnue*, en leur adjoignant *Les Yeux du frère éternel* (nouvelle également connue sous le titre *Virata*). Sur le sous-titre donné à *Amok* dans cette traduction de 1927, voir note 1, p. 72.

2. *Ibid.*, p. 7-8.

« la curiosité dans les choses de l'esprit dégénère toujours en une sorte de passion [1] ».

La passion de connaître et de comprendre est un trait
que ne reniera jamais Zweig. C'est donc à autre chose
qu'il pense dans sa lettre à Richard Specht en s'accusant
d'avoir, avec le recueil *Amok*, donné « un peu trop de
vapeur ». De fait, les passions, les déchirements, les
bizarreries humaines que dépeint le recueil y ont un
caractère extrême ; l'angle d'approche, marqué par
l'intérêt de Zweig pour les travaux de Freud, se fait
volontiers cru, et le rythme narratif a souvent une fébrilité haletante qu'on ne retrouve pas dans les œuvres plus
tardives. Lors de la parution, la critique avait d'ailleurs
relevé l'« audace horrible » de ces cinq « pièces noc-
turnes », non sans leur adresser d'hyperboliques éloges :
« tension à couper le souffle, affect comprimé, intensité
passionnelle, toute la force suggestive de la diction zwei-
gienne », écrivait Erwin Rieger dans la *Neue Freie
Presse* [2]. Qu'il était loin, le monde si feutré, si viennois,
si avant-guerre où évoluaient les héros enfantins d'*Erstes
Erlebnis* ! Il est vrai que Rieger tempérait ses éloges en
souhaitant à l'auteur de dépasser maintenant ce stade
juvénile, trop impétueux, trop centré sur un seul sujet :
pour le quadragénaire qu'était alors Zweig (né en
1882), le reproche devait être irritant à entendre, et on
comprend qu'il ait fait son chemin en lui jusqu'à l'auto-
critique de 1927.

En somme, Zweig dans *Amok* se montre bien plus
perméable au bouillonnement orgiaque, à l'outrance
expressionniste des années folles qu'il ne l'affirmera
dans son autobiographie de 1941, où il s'attribue après
coup une posture olympienne, celle d'un auteur obser-

---

1. Zweig, *Le Joueur d'échecs*, éd. et trad. D. Meur, Paris, GF-Flammarion, 2013, p. 52.
2. E. Rieger, « Stefan Zweigs neues Novellenbuch », *Neue Freie
Presse*, 3 décembre 1922, p. 34-35.

vant à distance ces excès et attendant patiemment que cesse la tourmente [1].

L'emboîtement des récits, ou l'outrance maîtrisée

Cette crudité et cette fébrilité en phase avec le climat ambiant, particulièrement sensibles dans la nouvelle *Amok*, sont cependant le fruit d'un art assez maîtrisé qui s'y traduit par une structure narrative complexe : l'emboîtement de trois récits, au ton nettement différencié.

L'ouverture du plan narratif 1 renoue avec la tradition allemande classique de la nouvelle : « En mars 1912, dans le port de Naples [...], il se produisit un curieux accident sur lequel la presse publia des reportages substantiels, mais agrémentés de détails très fantaisistes. » Un « curieux accident », une « scène saisissante », un « étrange épisode » – en un seul paragraphe, nous ne trouverons pas moins de trois variations sur la célèbre formule de Goethe définissant la nouvelle comme « fait inouï » (*unerhörte Begebenheit*) [2]. On sait que cette définition s'applique tout particulièrement aux nouvelles de Kleist, et l'ouverture ici proposée n'est pas sans ressemblance avec les *incipit* kleistiens : « À M..., grande ville d'Italie du nord, la marquise d'O..., veuve, fit savoir par la presse qu'elle se trouvait enceinte » (*La Marquise d'O.*) ; « À Santiago, capitale du Chili, pendant le grand séisme de 1647 » (*Le Tremblement de terre du Chili*) ; « À Port-au-Prince, dans la partie française de l'île de Saint-Domingue, vivait au début de ce siècle » (*Les Fiancés de Saint-Domingue*). La similitude

---

1. Voir, dans *Le Monde d'hier. Souvenirs d'un Européen* (trad. S. Niémetz, Paris, Belfond, 1993), les pages finales du chapitre « Retour en Autriche », consacré à l'immédiat après-guerre.

2. Goethe, Conversation du 29 janvier 1827 avec Eckermann, in J.P. Eckermann, *Gespräche mit Goethe in den letzten Jahren seines Lebens*, éd. H. Schlaffer, Munich, Hanser, p. 203.

est plus frappante encore dans l'*incipit* d'une très brève anecdote de Kleist intitulée *Amour maternel* : « À Saint-Omer, dans le nord de la France, il se produisit en 1803 un curieux incident [1]. »

Dès la seconde phrase d'*Amok*, cependant, cette ouverture classique se révèle être un leurre. Le récit passe à la première personne et à une atmosphère de tourisme Belle Époque : le « fait inouï », l'accident dans le port de Naples, ne sera donc pas le sujet de la nouvelle mais son épilogue, que nous ne découvrirons d'ailleurs que dans les toutes dernières lignes. Entre-temps s'est ouvert le plan narratif 2, lequel entreprend de relater des événements antérieurs (« À l'agence maritime de Calcutta, quand je voulus réserver une place sur l'*Océania* pour retourner en Europe ») sans que cette antériorité soit soulignée par un plus-que-parfait, ce qui, après coup, fait presque apparaître le premier paragraphe comme une note manuscrite que le narrateur aurait ajoutée, « après tant d'années », en tête d'un récit déjà écrit mais que, par discrétion, pour ne pas trahir une confidence reçue, il ne pouvait publier jusqu'à présent.

C'est là encore, il est vrai, une stratégie classique pour revêtir du sceau de l'authentique, ériger en *histoire vraie* un récit qui en a d'autant plus besoin qu'il traite d'événements « inouïs ». Mais bien d'autres éléments, biographiques eux, viennent renforcer cette authenticité. Ce retour d'Inde sur un paquebot transocéanique, Zweig l'avait fait, en mars 1909, et en passant justement par Naples, à bord du *Lützow* [2]. Un voyage de plusieurs

---

1. « Mutterliebe », in H. von Kleist, *Sämtliche Werke und Briefe*, Darmstadt, Wissenschaftliche Buchgesellschaft, 1983, vol. 2, p. 277. Nous livrons notre traduction pour souligner à quel point l'*incipit* de Zweig en est un calque, y compris dans les mots. Hasard ou souvenir précis ? On se bornera à noter que l'anecdote kleistienne relate l'irruption meurtrière d'un *chien enragé*, image sollicitée à deux reprises dans le texte d'*Amok*.

2. Voir la lettre du 20 janvier 1909 de Zweig à V. Fleischer, in Zweig, *Correspondance 1897-1919*, trad. I. Kalinowski, Paris, Grasset, p. 125.

mois sur les traces de Pierre Loti, dont le jeune Viennois avait lu *L'Inde (sans les Anglais)* [1] pour en préparer les étapes, l'avait mené à Bombay, à Gwalior, à Bénarès, à Darjeeling, enfin à Calcutta où il s'était embarqué pour Rangoun puis, *via* Madras, pour Ceylan. Zweig n'a guère pris ce périple pour thème principal de ses récits : hormis quelques reportages [2] et la légende *Les Yeux du frère éternel* (1922), on ne peut pas dire qu'il ait sur-exploité cette veine dont Loti, lui, avait tiré un volumineux récit de voyage.

Ce n'est pourtant pas faute d'avoir été marqué par l'expérience. Tout comme le narrateur d'*Amok* au départ du bateau (« Je venais de voir un monde nouveau, d'absorber une succession follement rapide d'images. J'aurais voulu y repenser, analyser, ordonner et mettre en forme, après coup, tout ce dont mon regard s'était imprégné à chaud »), Zweig se plaignait, dans ses lettres de Calcutta, d'une profusion presque écrasante d'images et de sensations : « on voit trop de choses, on aimerait avoir du temps, faire un intermède de trois ou quatre jours à Vienne pour digérer tranquillement tout cela [3] ». L'Inde féminine et sensuelle, tout en couleurs et en parfums, favorisant un abandon bienheureux au destin, aux éléments, n'apparaît pas à proprement parler dans le plan narratif 2 d'*Amok*, mais en quelque sorte elle y *agit*. Le jeune Zweig, avant son départ, décrivait en ces termes l'effet de ses lectures préparatoires sur l'Inde : « Lentement on cède à un doux sentiment

1. Ce récit (au titre marqué par l'anglophobie régnant alors en France) relatait le long voyage qu'avait fait Loti en 1899-1900 en Inde et en Birmanie. Zweig l'avait commenté dans un article publié quelques mois avant son propre départ : « Sehnsucht nach Indien » (« Désir d'Inde », juillet 1908), repris dans Zweig, *Auf Reisen. Feuilletons und Berichte*, Francfort-sur-le-Main, Fischer, 1987.

2. Voir « Gwalior et Bénarès : la ville aux mille temples », in Zweig, *Pays, villes, paysages : écrits de voyage*, Paris, Belfond, 1996.

3. Lettre du 8 janvier 1909 de Zweig à V. Fleischer, in Zweig, *Correspondance 1897-1919, op. cit.*, p. 123.

de détachement, à une jouissance voluptueuse, et l'on est doucement bercé par toutes ces images rêvées, comme si c'était déjà le bateau qui nous menait sur les vagues murmurantes de l'océan [1]. » De même, son narrateur fait réellement cette expérience sur le pont de l'*Océania*, ce « formidable berceau », sous la magique clarté du firmament austral :

> absorbé par ma contemplation, je perdis le fil du temps. Étais-je là depuis une heure, ou seulement quelques minutes ? [...] Je sentais seulement descendre en moi une fatigue qui était comme une volupté. [...] Mon pied toucha, sur le sol, un paquet de cordage. Je m'y assis, les paupières closes et néanmoins traversées encore par la clarté d'argent qui, au-dessus de moi, se déversait à flot. Là en bas je sentais bruisser l'onde, au-dessus de moi, inaudible, le flot blanc de ce monde. Et peu à peu, le bruissement enfla, pénétrant mon sang même : je ne me sentais plus, je ne savais si ce souffle était le mien ou le battement de cœur étouffé du navire, je m'épanchais, je me vidais dans le bruissement sans repos de ce monde nocturne.

Cette véritable symphonie synesthésique ne va pas tarder à être troublée ; mais Zweig y aura mis l'essentiel de l'*effet* produit sur lui par l'Inde en dépeignant un état presque orgasmique de nirvana, d'abandon, de fusion dans le grand Tout – état que Pierre Loti racontait avoir cherché et presque trouvé à Bénarès, dans les derniers chapitres de *L'Inde (sans les Anglais)*.

Est-ce à dire qu'après nous avoir déjà leurrés avec un *incipit* à la Kleist, l'auteur nous leurre une seconde fois par un tableau de voyage à la Loti, dans le seul but de rendre plus brutale l'entrée dans le plan narratif 3 et son hystérie d'après-guerre ? Oui et non. Si l'on y regarde de plus près, les scènes initiales à bord de l'*Océania* présentent déjà quelques notes discordantes et quelques thèmes annonçant le récit de l'amok.

---

1. Zweig, « Sehnsucht nach Indien », art. cité, p. 102.

Il y a d'abord, anecdotique en apparence, la cabine minuscule et étouffante comparée à un « cercueil » par le narrateur, puis par le médecin rencontré sur le pont. Mais dans la bouche de ce dernier, le terme est tout sauf anodin. Le médecin sait, lui, qu'il y a à bord, dans la soute, un vrai cercueil contenant tout ce qui reste de sa vie, et qui sera au cœur du « curieux accident » relaté à la fin. Le paquebot dans son ensemble, loin d'être un simple cadre comme il le restera dans *Le Joueur d'échecs*, échappe vite au pittoresque de la traversée transocéanique, avec ses badauds désœuvrés et ses demoiselles anglaises s'escrimant sur le piano du salon, pour prendre une dimension discrètement mythique. Nous ne savons pas encore qu'il y a une morte à bord ; mais, chose presque plus inquiétante encore, nous sommes vite conscients d'être dans ce navire comme à l'intérieur d'un corps. Le ahanement des machines devient pouls, respiration, « cœur et poumon du Léviathan », ce Léviathan si présent dans *Moby Dick* par exemple, avec son cortège de réminiscences bibliques (livres de Job et de Jonas), qui vient déjà glisser dans ce tableau de splendeurs tropicales une note diffuse de menace et de malédiction.

Sans grand souci d'exactitude terminologique (nous ne sommes ni chez Herman Melville, ni chez Joseph Conrad), le narrateur explore ce corps ; ses entrailles, invivables, ses parties hautes, enfin sa proue déserte en pleine nuit, du haut de laquelle se révèle le caractère sexué, masculin, du « gigantesque nageur » : « Le soc se soulevait puis replongeait dans cette glèbe liquide, perpétuellement, et je ressentais tous les affres de l'élément vaincu, toute la jouissance de la vigueur terrestre dans ce jeu étincelant. » L'eau, passive et féminine, apparaît dominée par l'élément terrestre, masculin, et par ses prolongations que sont la technique, la machine, le charbon et l'acier : le stéréotype sexuel, développé ici avec lyrisme [1], ne l'est que pour être mieux perverti par

---

1. Stéréotype d'ailleurs instable : *La Femme et le paysage*, autre nouvelle du recueil *Amok*, en propose une version divergente où la *terre* passive, féminine, s'abreuve à la féconde pluie d'un *ciel* masculin.

la suite, où nous verrons un homme cédant voluptueusement aux volontés d'une femme dominatrice. Et le narrateur lui-même annonce cette inversion des termes sexuels tenus pour normaux lorsqu'il évoque, peu avant son expérience de dissolution mystique, le « plaisir [...] charnel de [s']abandonner *femellement* à la douceur ambiante » (nous soulignons).

Au-dessus de lui, donc, le ciel étoilé où resplendit la Croix du Sud ; mais en lui, quelque chose d'un peu plus trouble que la solide loi morale kantienne. Et à côté de lui, découvre-t-il quelques instants plus tard, un être dont toutes les caractéristiques concourent à venir gâcher ce moment d'harmonie, si équivoque soit-elle. Toux sèche, voix rauque, pipe chuintante, visage grimaçant comparé à celui d'un « gnome » (*Kobold*). Relevons ce terme qui, dans la mythologie germanique, renvoie à un esprit gardien des métaux et des pierres au sein du monde chthonien. Dans la polarité qui vient d'être posée, il désigne donc un représentant de la terre, de la masculinité ; mais d'une masculinité contrefaite, infernale, sexuellement immature, le gnome des contes étant une sorte d'enfant-vieillard en position d'infériorité et d'impuissance en face de la femme, position que confirmera ensuite tout le récit du médecin.

Avec ce dernier récit, on en vient au plan narratif 3 de la nouvelle, dont le style rompt nettement avec celui des deux précédents : plus cru, plus familier, marqué de coq-à-l'âne et d'hésitations rendues dans le texte par d'innombrables points de suspension. Contrairement à d'autres nouvelles zweigiennes où le récit encadré, censément livré de vive voix, rejoint peu à peu la littérarité du récit cadre (dans *Le Joueur d'échecs*, Me B. s'exprime comme on écrirait), ici le caractère oral du récit est souligné à l'extrême. Et la voix, la « parlure » du médecin reste à tout moment perceptible, tantôt aigre, émaillée d'éructations racistes contre la « canaille jaune » ou de grossièretés de carabin (quand il compare ses confidences à une exhibition de ses « matières fécales »),

tantôt d'une véhémence pathétique, que mettent en
scène les fréquents retours au plan 2 et la description
des mimiques et mouvements du médecin : chaise brusquement rapprochée, haut-le-corps, geste du bras qui
renverse par terre la bouteille de whisky, etc.

Ces retours ont aussi pour effet de maintenir une forte
présence du narrateur dans la nouvelle : porte-parole et
double de l'auteur, il nous montre par ses réactions suc-
cessives (effroi, dégoût, indignation, pitié) comment
nous devons recevoir le récit du médecin. Mais c'est
un double juvénile, ne l'oublions pas ; un double que
l'auteur, en 1922, a laissé derrière lui. En donnant à
voir le narrateur pris à partie par le médecin agressif,
méprisant, c'est aussi avec lui-même que Zweig règle
ses comptes :

> vous qui parcourez le monde tranquillement assis sur une
> chaise longue, vous savez ce que c'est, un être humain qui
> meurt ? Vous avez déjà assisté à ça, vous avez vu le corps
> qui s'arque, les ongles bleuâtres qui griffent le vide, la gorge
> qui râle, chaque membre qui résiste, chaque doigt qui se
> relève pour conjurer l'effroyable, l'œil qui s'écarquille dans
> une terreur sans nom ? Vous avez déjà vécu ça, monsieur
> le flâneur, monsieur le globe-trotter, vous qui parlez d'aider
> comme d'un devoir ?

Antipathique, acrimonieux, physiquement répu-
gnant, le médecin – et la force de la nouvelle tient à
cette ambiguïté – est pourtant aussi un personnage
exprimant confusément une vérité, la vérité de la passion et de la souffrance humaine, contre le vide et la
fausseté d'une certaine existence. Ce jeune « flâneur »,
ce « globe-trotter » grand-bourgeois qui traverse la vie et
observe les êtres sans s'impliquer, n'est-ce pas le Zweig
d'avant 1914, celui qui se complaisait dans les atmo-
sphères sucrées, celui qui n'avait pas encore, dans les
hôpitaux militaires de Galicie ou à la Croix-Rouge de
Genève, vu souffrir et agoniser des blessés, ni mesuré
l'âpreté de la condition humaine ?

Enfin, les retours au plan 2 ont une dernière fonc-
tion : rythmer le récit, en faire ressortir la chronologie
très resserrée grâce au tintement régulier, dans le noir,
de la cloche du bateau. Minuit trente : après avoir
soumis au narrateur un problème déontologique (jusqu'où doit aller le devoir d'aider ?), le médecin en vient
à son propre cas ; il raconte ses débuts professionnels
en Allemagne, brillants, puis une affaire de femme et le
départ forcé pour les Indes néerlandaises, l'installation,
le lent étiolement. Une heure : dans la station perdue
où il végète depuis sept ans, il reçoit la visite suspecte
d'une Anglaise de la bonne société. Elle lui propose de
pratiquer sur elle un avortement illégal et, suite au refus
du médecin, prend la fuite. Deux heures : début de la
crise d'amok. Dans un état de soudaine frénésie, il se
lance à sa poursuite, ne la retrouve que mourante entre
les mains d'une faiseuse d'anges, assiste à son agonie
sans pouvoir la sauver. Trois heures : pour préserver le
secret de la morte, il fait établir un faux certificat de
décès et obtient la mise en bière avant de fuir plus ou
moins clandestinement à bord de l'*Océania*. Nous
apprenons alors que le cercueil est à bord, et c'est là-
dessus que s'achève, avec l'arrivée de l'aube, le plan
narratif 3. Ce qu'il advient de ce cercueil et du médecin,
nous ne le saurons qu'ensuite, par le récit – savamment
différé – du « curieux accident ».

Une structure narrative complexe, donc, pour une
nouvelle dont le propos et l'intention ne le sont pas
moins.

Les Anglais (sans l'Inde) : Zweig et le colonialisme

Le choix du cadre recouvre des enjeux autrement
importants qu'une simple concession à l'exotisme.
Cette nouvelle dont le cœur psychologique est le rapport dominant/dominé entre l'homme et la femme (et
la perversion de ce rapport), Zweig a choisi de la

camper dans le lieu même d'une autre domination, celle
exercée par les puissances coloniales sur les peuples
colonisés. Ce n'est pas un hasard. La question le tra-
vaille depuis longtemps, et il est révélateur que le voyage
de 1908-1909, à l'origine, n'ait pas tant été motivé par
le désir de découvrir l'Inde que par celui de... mieux
comprendre les Anglais. Le projet, en effet, serait parti
d'une conversation avec l'industriel et homme politique
Walther Rathenau :

> « Vous ne pouvez pas comprendre l'Angleterre, me
> disait-il, tant que vous ne connaissez que l'île. Et pas davan-
> tage notre continent, tant que vous n'avez pas au moins
> une fois franchi ses frontières. Vous êtes un homme libre,
> mettez à profit cette liberté ! [...] Pourquoi n'iriez-vous pas
> une fois en Inde et en Amérique ? » Ce propos de hasard me
> frappa, et je résolus de suivre immédiatement son conseil [1].

L'Inde et l'Amérique sont citées ici par Rathenau
comme « l'extérieur » de l'Angleterre, permettant de
mieux en appréhender « l'intérieur », mais elles en sont
aussi la prolongation : l'Inde, pour la raison évidente
qu'elle appartient à l'Empire britannique, l'Amérique,
parce que – aux yeux de Zweig du moins – les traits
communs à la mentalité anglo-saxonne telle qu'il la per-
çoit comptent plus que les différences culturelles au sein
du monde anglo-saxon. « Les Anglais » pour lui sont,
par métonymie, un ensemble fait d'esprit mercantile,
d'impérialisme, de domination volontariste de la
nature [2]. L'Inde des colonisés en est l'exact pendant, et
c'est ce qu'il mettra en relief dans la légende *Les Yeux
du frère éternel*, cette « confession de foi » récusant point
par point l'*habitus* anglais que nous venons de décrire :
elle incarne le détachement des biens terrestres, le refus

1. Zweig, *Le Monde d'hier, op. cit.*, p. 230.
2. C'est d'ailleurs un ingénieur écossais, McConnor, qui l'illustre
caricaturalement dans *Le Joueur d'échecs* : foreur de puits de pétrole,
brutalement positif, réduisant tous les problèmes humains à un chiffre
en dollars.

de toute emprise exercée sur autrui, le respect absolu du vivant sous ses multiples formes. Dans *Le Monde d'hier*, Zweig évoquera beaucoup moins la culture indienne que le système de domination coloniale et son soubassement, la doctrine des inégalités raciales, dont il a observé les tristes manifestations dès la traversée vers Bombay :

> Deux jeunes filles délicieuses aux yeux noirs, sveltes, cultivées et bien élevées, modestes et élégantes, voyageaient sur notre paquebot. Dès le premier jour, je fus frappé qu'elles se tinssent à distance ou fussent tenues à distance par une barrière invisible. [...] Je ne découvris que le deuxième ou le troisième jour que ce n'étaient pas elles qui évitaient la société anglaise, mais que c'étaient les autres qui se tenaient éloignés de ces *halfcasts*, bien que ces jeunes filles charmantes fussent les enfants d'un gros commerçant parsi et d'une Française. [...] Pour la première fois j'observais la folie de la pureté de la race, cette peste qui est devenue plus fatale à notre monde que la véritable peste dans les siècles passés [1].

À l'époque où il écrit ces lignes, Zweig, Juif autrichien, a dû s'exiler à cause des lois raciales du régime nazi ; mais cette « peste » n'est pas pour lui le seul fait de l'Allemagne hitlérienne ; s'il a quitté l'Angleterre en 1940, c'est parce qu'il supportait de moins en moins son climat de méfiance et de xénophobie et que, même naturalisé britannique, il craignait d'y rester à jamais, en tant que juif, un « citoyen de septième zone [2] ».

Mais revenons-en pour l'heure à l'Inde de 1908-1909. Pendant son voyage, racontera-t-il dans *Le Monde d'hier*, il avait subi « avec un peu de honte » la vénération dont faisait l'objet « l'Européen considéré comme une sorte de dieu blanc » qui, dans ses excursions, « était obligatoirement accompagné par douze ou quatorze

---

1. Zweig, *Le Monde d'hier*, *op. cit.*, p. 230-231.
2. Zweig, *Journaux 1912-1940*, trad. J. Legrand, Paris, Belfond, 1986, entrées du 30 mai et du 2 juin 1940.

serviteurs ; agir autrement aurait été au-dessous de sa
"dignité [1]" ». On retrouve, dans *Amok*, cette image du
« dieu blanc » à qui sa « dignité » devrait interdire de
courir dans la rue, en nage, devant des indigènes à la
porte de leurs cases ; mais le médecin qui en fait état n'en
est pas, lui, honteux. Au contraire, il souscrit amplement
à cette vision des colonisés comme sous-hommes,
ramassis de « petit[s] niaque[s] » poltrons et de « mousmés » aux charmes faciles – le jargon colonial français
offre hélas ici au traducteur un vaste répertoire.

Ce sont donc les expériences de l'Inde, du système
colonial anglais observé en Inde qui nourrissent cette
nouvelle en fait située ailleurs, en Indonésie, où Zweig
n'est pas allé. Il n'essaie pas, au reste, de nous le faire
croire : le cadre géographique est à peine décrit (« la
forêt, les plantations, la jungle et les marais » résument
tout ce que nous verrons des paysages, et la discrétion
du médecin, qui reste très évasif sur les noms et les lieux
pour protéger l'honneur de la morte, dispense commo-
dément l'auteur de se montrer plus précis), rien
n'indique qu'on parle ici hollandais, le lexique est celui
des colonies anglaises avec leur golf, leur bridge, leurs
rickshaws et leurs *surgeons*, tout cela, il est vrai, dans la
bouche d'une Anglaise ; mais n'est-il pas révélateur que
l'héroïne de ce drame situé aux Indes néerlandaises soit
une Anglaise, précisément ? (Et une Anglaise « plus
anglaise que nature », aux yeux de Zweig, puisque impé-
rieuse, dominatrice, et témoignant d'une « rondeur en
affaires digne d'un businessman » ?)

Ce dont Zweig, par ailleurs, ne parle pas dans *Le
Monde d'hier*, c'est qu'il n'était pas seul lors de ce voyage
en Inde. Il s'était embarqué à Trieste en compagnie de
Hermann Bessemer, un journaliste de son âge, et les deux
Viennois avaient fait ensemble la traversée par terre de
Bombay à Calcutta ; c'est d'ailleurs à Bessemer qu'on
doit quelques photos comme celle du jeune Zweig en cos-

---

1. Zweig, *Le Monde d'hier*, *op. cit.*, p. 231.

tume clair et casque colonial, assis à l'arrière d'un bus de campagne indien[1]. Mais à Calcutta, ils se séparèrent : pendant que Zweig poursuivait sa route vers la Birmanie, Bessemer resta avec le projet de repartir vers l'Égypte et, de là, vers l'Afrique orientale. Dans ses lettres, Zweig reste discret sur les raisons de cette séparation : « ce genre de voyages fait surgir quelques désaccords, écrit-il de Calcutta à un ami, surtout quand on a affaire à un caractère qui n'est pas tout à fait irréprochable[2] ». Mais on entrevoit la nature de ces désaccords en feuilletant le bref roman que Bessemer a tiré de ce périple colonial et qu'il a, lui, publié dès son retour.

Fièvre des marais (*Sumpffieber*, 1909) décrit l'installation en Afrique orientale allemande d'un officier austro-hongrois qui a été réformé pour raisons de santé. À la différence du médecin d'*Amok*, il ne succombe pas aux dangers du « marais », à cet enlisement dans la mollesse et la solitude qui, semble-t-il, guette l'homme blanc sous les tropiques. Il fait défricher la brousse, bâtir un bungalow, démarrer une plantation, à grand renfort de gifles et de coups de fouet administrés à des indigènes désignés en des termes à côté desquels les tirades du médecin chez Zweig apparaîtraient presque politiquement correctes. La chair le tourmente : il se rend au village voisin, tombe sur une villageoise qui se laisse aussitôt séduire et dont la sensualité (forcément torride) n'a d'égales que sa cupidité et sa sottise. « Son visage ? Eh bien, il m'indiffère. Je n'ai pas de mémoire pour les physionomies nègres[3]. » Cet épisode leste constitue sans doute le plus grand attrait de l'ouvrage pour le public visé, car l'éditeur en a tiré l'illustration de couverture : lascive, bras relevés derrière la tête, une Noire

---

1. Photographie reproduite dans K. Renoldner, H. Holl et P. Karl-huber (dir.), *Stefan Zweig : instants d'une vie*, Paris, Stock, 1994, p. 40.

2. Lettre du 8 janvier 1909 de Zweig à V. Fleischer, in Zweig, *Correspondance 1897-1919, op. cit.*, p. 123.

3. H. Bessemer, *Sumpffieber*, Munich, Albert Langen, 1909, p. 24.

peu vêtue aguiche le lecteur aussi directement qu'elle le fait, dans le texte, avec le planteur blanc. Après quelques récoltes, un safari giboyeux, une beuverie au chef-lieu où des colons locaux, débridés par l'alcool et le fait d'être entre eux, parlent plaisamment d'exterminer les nègres, arrive enfin la crise de malaria qui justifie le titre et décide l'officier viennois à retourner chez lui.

Un assemblage de scènes convenues, d'une brutalité et d'une vulgarité tranquillement assumées, voilà donc tout le fruit qu'a tiré de son voyage le compagnon temporaire de Zweig : il n'est pas nécessaire de chercher ailleurs les raisons de leur brouille, ni le modèle qu'a pu suivre l'auteur pour camper dans *Amok* un Européen médiocre lâché aux colonies et qui, imperméable à l'énigme de l'altérité, n'y voit qu'une occasion d'être, au moins une fois dans sa vie, un dominant.

Toutefois cette brutalité obtuse, chez le médecin d'*Amok*, n'est pas première. C'est dans des dispositions bien différentes qu'il s'était embarqué à Rotterdam : « Ah, j'en avais, des rêves : apprendre la langue et lire les livres sacrés dans le texte, étudier les maladies, faire œuvre scientifique, explorer la psyché indigène [...], devenir un missionnaire de l'humanité, de la civilisation. » À ce stade, il incarne donc encore un autre type de colon, l'Européen idéaliste, philanthrope (il parle de sa « joie de jouer au bon Dieu » en prolongeant des vies), n'admettant les inégalités raciales que pour en déduire, comme chez Rudyard Kipling, l'idée d'un devoir moral à l'égard des races dites inférieures – le « fardeau de l'homme blanc ». Mais même chez Kipling, on voit souvent ces élans idéalistes tourner court dans telle ou telle station perdue de l'Inde, sous l'influence conjuguée du climat et de l'alcool : *Comédie au bord de la route*[1], par exemple, montre les cinq Anglais formant toute la population de Kashima – les *natives* ne comptent pas –

---

1. R. Kipling, « A Wayside Comedy », nouvelle parue dans *Under the Deodars* (1888).

comme de pauvres créatures rongées de solitude et de désespoir depuis qu'un double adultère, lui-même conséquence d'un infernal ennui, est venu semer la zizanie entre eux.

La déliquescence alcoolisée qui atteindra le médecin d'*Amok* dans son « bourbier au bout du monde » est donc une évolution typique chez le colon idéaliste, évolution d'autant plus spectaculaire que les idéaux de départ étaient grands. C'est pourquoi nous frémissons déjà de l'entendre se rêver en « missionnaire de l'humanité ». Une sorte de missionnaire laïc, de saint homme, n'est-ce pas ainsi que la fiancée de Kurtz, dans *Au cœur des ténèbres* de Conrad (1899), décrit celui dont elle est sans nouvelles ? Parti combattre les « coutumes sauvages » au Congo belge, il ne réapparaîtra au fond de la jungle que sous la forme d'un roitelet sanguinaire, terrifiant, dont les dernières paroles écrites auront été : « Exterminez toutes ces brutes [1] ! »

Le terrain de départ où se noue le drame d'*Amok* est, on le voit, profondément marqué par le système colonial, par la position du colon au sein d'une sous-humanité (la « vermine jaune ») qu'il est censé soumettre, et d'une nature trop luxuriante (les « forêts torrides et trempées d'eau ») qu'il est censé dompter. *Amok* nous montre, entre autres, l'impasse de cette position : comme dans plusieurs romans de l'entre-deux-guerres [2], on y assiste non pas encore à la tragédie des colonisés mais à celle plus discrète, plus insidieuse, des puissances coloniales elles-mêmes, que leur emprise sur le monde mine physiquement, ronge moralement, et prépare à la barbarie par le délitement d'un certain mythe civilisationnel.

---

1. J. Conrad, *Au cœur des ténèbres*, trad. J.-J. Mayoux, GF-Flammarion, 2012, p. 147.
2. On peut citer, parmi beaucoup d'autres, les romans « coloniaux » de Simenon comme *45° à l'ombre* (1936) ou *Le Blanc à lunettes* (1937).

Krafft-Ebing, ou les démons de la vieille Europe

S'il prend son origine dans un accès typique de « mal colonial » (« À ce moment-là j'étais complètement *down*, en manque d'Europe ; dans un roman, quand je lisais un passage évoquant des rues claires et des Blanches, mes doigts se mettaient à trembler »), le drame d'*Amok* ne s'y réduit pas. C'est que son protagoniste n'a pas seulement apporté avec lui, dans sa station perdue des Indes néerlandaises, des idéaux philanthropiques : il y a apporté une pathologie, qui d'ailleurs a été la cause directe de son expatriation forcée. Le brillant praticien de Leipzig, en effet, avait son secret honteux : un goût pour les « femmes dominatrices et insolentes ». Celle dont il s'était épris à l'hôpital (une patiente, déjà) avait tant d'ascendant sur lui qu'il a commis pour elle un délit grave : un vol. À cette association entre pathologie sexuelle et comportement délictueux, on peut déjà deviner que l'auteur, pour croquer son personnage, s'est sans doute moins inspiré de Freud, dont il est pourtant un admirateur de longue date et à qui il consacrera bientôt un essai, que d'un autre Autrichien célèbre, Richard von Krafft-Ebing.

L'*opus magnum* du psychiatre Krafft-Ebing, *Psychopathia sexualis* (1886), est une somme sur les perversions sexuelles, à l'usage des médecins et des juristes – les passages les plus scabreux en sont d'ailleurs rédigés en latin, pour décourager le profane. S'il nous paraît un peu daté aujourd'hui, à la fois par son effort pour trouver des causes physiologiques à la perversion et par son approche très normative de ce que devraient être le « caractère sexuel masculin » (actif, dominant) et le « caractère sexuel féminin » (passif, dominé), ses pages consacrées au masochisme ne sont pas sans pertinence dans le contexte d'*Amok* :

> Par masochisme j'entends une perversion particulière de la *vita sexualis* psychique où l'individu atteint est gouverné,

dans sa sensibilité et sa pensée sexuelles, par l'idée d'être
entièrement et absolument soumis à la volonté d'une personne de l'autre sexe, d'être dominé, humilié et même mal-
traité par elle [1].

La définition s'applique parfaitement à notre médecin, qui certes ne rêve pas de flagellations et de sévices
comme en infligent les héroïnes les plus célèbres de
Leopold von Sacher-Masoch, mais ne peut résister au
charme des femmes hautaines, méprisantes, qui le
« tiennent dans leur poing » et lui imposent leurs volontés. Le masochisme, que Krafft-Ebing caractérise
comme une « dégénérescence maladive de certaines
caractéristiques psychiques féminines [2] », est étudié par
lui à travers une série de cas suggérant de nombreux
rapprochements avec *Amok*. Le médecin a un faible
pour les femmes « chattes », félines et cruelles ? Le
patient de l'Observation 50 (sans avoir lu Baudelaire)
fait état au passage d'une étrange passion des chats [3].
Zweig a choisi pour cadre de la nouvelle le système
colonial, pour arrière-plan du drame psychologique la
sujétion exercée au nom d'une douteuse théorie des
inégalités raciales ? Dans leurs fantasmes d'esclavage,
plusieurs patients de Krafft-Ebing s'inspirent de sources
littéraires qui thématisent celles-ci : l'un évoque ses
érections juvéniles à la lecture de *La Case de l'oncle Tom*,
l'autre aspire à revivre le rapport, précolonial, entre
Robinson et Vendredi [4]. Et que dire du patient de
l'Observation 60, au sujet duquel Krafft-Ebing rap-
porte : « d'après son expérience, le masochisme est particulièrement développé en Angleterre, et on peut
facilement obtenir de telles choses des femmes

---

1. R. von Krafft-Ebing, *Psychopathia sexualis*, Munich, Matthes &
Seitz, 1993, p. 104-105.

2. *Ibid.*, p. 155.

3. *Ibid.*, p. 108.

4. Observations 57 et 85, *ibid.*, p. 114 et 153.

anglaises [1] ». Surprenante affirmation, mais à laquelle le médecin d'*Amok* ne trouverait rien à redire.

Reprenons donc, à la lumière de Krafft-Ebing, l'enchaînement des faits relatés dans *Amok*. Un clinicien brillant de Leipzig, souffrant d'une perversion masochiste, tombe sous la coupe d'une intrigante, se compromet gravement et doit s'expatrier. Non sans avoir succombé une dernière fois à une prostituée féline du port de Rotterdam, il prend la route des Indes néerlandaises, presque soulagé, et nourrissant des rêves de rédemption humaniste. Au lieu de se retrouver « à Batavia ou à Surabaya, dans une ville avec des gens, des clubs, un golf, des livres, des journaux » (et ajoutons : des Blanches altières, capables de se refuser), il atterrit dans la jungle, où ses idéaux s'effritent mais où sa perversion, faute d'objet, se trouve tenue en bride. Car ce ne sont pas les filles du pays, « toujours offertes, toujours prêtes à vous servir avec leur petit rire gloussant », qui la réveilleraient : « cette soumission d'esclave, explique-t-il, vous gâche le plaisir ». Il s'apaise donc, mais s'étiole, dans une situation d'attentisme morne et de frustration sexuelle.

Au bout de sept ans, voilà que pénètre dans sa « cage » la femme selon son cœur : beauté glaciale, regard bleu métallique à l'expression de cruauté, froideur calculatrice alliée à « la hauteur » et au « flegme distant d'un officier anglais ». Or, tout comme certain patient de Krafft-Ebing ne rêvait la femme qu'en paysanne hongroise (jupette courte et bottes hautes), le médecin de Leipzig ne la rêve apparemment qu'en officier, si possible britannique. Le fantasme est si puissant qu'à la fin de la nouvelle, lorsqu'il rencontrera un réel officier – paradoxalement un fragile jouvenceau – il contractera aussitôt pour lui une tendresse presque amoureuse, ne pourra s'empêcher de le toucher, de le prendre par les épaules, de caresser « ses cheveux blonds d'une douceur

---

1. *Ibid.*, p. 122.

enfantine ». Scène dont l'homosexualité latente fait une fois encore écho aux (discutables) hypothèses de Krafft-Ebing concernant le masochisme, « une forme rudimentaire d'inversion sexuelle, une effémination partielle [1] ».

Pour l'heure, revenons-en au face-à-face entre ce masochiste mal guéri et cette Anglaise hautaine qui voudrait le contraindre à un nouvel acte délictueux : pratiquer sur elle un avortement sans indications médicales. Une scène complexe se joue alors, assez improbable au plan clinique, mais féconde d'un point de vue romanesque. Pour le médecin, c'est un déchirement. Une part de lui est disposée à céder avec ivresse, à lui « baiser les pieds », à se faire son esclave, mais le « mâle » en lui résiste à cette tentation démoniaque qui risque de le faire replonger. Il résiste, faiblement. Quand une voix intérieure lui souffle « Pas trop vite ! Faire des manières ! L'obliger à me prier ! », on ne sait pas si c'est encore la voix de la normalité à laquelle il aspire, ou déjà celle de la perversion qui a ses protocoles et exige un rythme précis, ni trop lent ni trop rapide.

Mais dans cet état d'érotisation intense, voilà qu'une pensée vient le « mordre comme un reptile » : la vision de cette femme, nue, abandonnée à la jouissance, telle qu'elle a bien dû être pour se retrouver dans cet état (« on ne tombe pas enceinte en jouant au golf, n'est-ce pas ? ») ; et le brusque désir de la contraindre à un chantage sexuel avant d'accéder à ses exigences. Ici, le dégoût du lecteur ne devrait pas l'aveugler sur ce que ce désir a de *sain*, au sens de Krafft-Ebing. Il faut croire le médecin, lorsqu'il affirme au narrateur : « ce n'était pas de la concupiscence, un état de rut, rien de sexuel, je vous assure… sans quoi je vous l'avouerais… uniquement le désir intense de me rendre maître d'un orgueil… m'en rendre maître virilement… » C'est un désir désespéré de normalité, d'affirmation « virile » contre son abjection perverse, désir qui en effet n'a rien de sexuel et n'est même pas,

---

1. *Ibid.*, p. 162.

pour le médecin, *excitant*, mais lui est aussi désagréable qu'une morsure de serpent.

La réponse de l'Anglaise, sans surprise, est un rire jeté à la face du maître chanteur dont le narrateur nous a par ailleurs décrit le crâne luisant, les lunettes énormes et le visage de gnome alcoolique. Ce rire humiliant est la stimulation de trop, qui déclenche la crise. Après quelques minutes de sidération – retard qui va être à l'origine de tout le drame –, les pulsions enfouies éclatent, s'emparent de l'être entier qui ne s'appartient plus. Désormais le médecin n'est plus qu'une chose agie par un désir éperdu de soumission à l'Anglaise, sa chose. Le « devoir d'aider », pierre d'angle de la déontologie médicale, est devenu besoin d'aider, besoin ardent de *servir* ; et servir l'Anglaise, c'est en l'occurrence l'avorter, la convaincre de se laisser avorter par lui. Façon d'investir physiquement la femme désirée, dans le saint des saints utérin dont sa perversion le détourne, mais d'une manière sexuellement passive, en dominé, ne faisant en cela qu'exécuter son ordre.

Du fort, du véhément, du percutant, en effet.

La passion zweigienne, si elle s'en nourrit, ne se laisse pourtant pas enfermer dans des déterminations médicales. Il nous reste à étudier comment le personnage échappe au carcan de sa pathologie par un saut dans le tragique ; comment l'histoire dépasse le schéma dominant/dominé et ses impasses en convoquant, presque au centre géométrique de la nouvelle, la figure de l'amok.

Amok, de la coutume malaise au paradigme de la passion

On l'a dit, la nouvelle se nourrit des souvenirs d'Inde, des réflexions de Zweig sur la mentalité anglaise (réelle ou supposée), sur le système colonial anglais tels qu'il a pu les observer en Inde. Dès lors, pourquoi s'être compliqué la tâche en transportant l'intrigue aux Indes

néerlandaises, où il n'est pas allé, et de manière assez
forcée pour commettre à l'occasion des lapsus qui le
trahissent [1] ? Dans un seul but, semble-t-il : pour pouvoir parler de l'amok, qui est un phénomène exclusive-
ment malais.

Et un phénomène déjà bien connu en Europe, à
l'époque où il écrit. Certes la célébrité de la nouvelle
fait que, pour le lecteur d'aujourd'hui, Zweig est celui
qui a fait connaître l'amok sous nos latitudes, et il est
vrai que la nouvelle a beaucoup contribué à banaliser
le terme, notamment en allemand. Mais en réalité, le
phénomène avait été décrit par des voyageurs européens
dès le XVIIIe siècle et, à la fin du XIXe siècle, était même
devenu un sujet de la médecine tropicale et de l'ethno-
psychiatrie, disciplines apparues dans le sillage de
l'expansion coloniale [2]. Des sources médicales récentes
étaient donc accessibles à l'époque de la rédaction
d'*Amok*. Que Zweig les ait ou non consultées, toujours
est-il qu'il fait, dans le récit du médecin, comme si elles
n'existaient pas : « Moi-même, pendant mon séjour, j'en
ai étudié quelques cas [...], mais sans parvenir à identifier l'horrible mystère de ses causes... » Cet « horrible
mystère » est pourtant en voie d'élucidation scientifique
depuis une bonne vingtaine d'années ; mais, pour conser-
ver à l'amok toute sa fascination, mieux vaut en faire ressortir, comme le héros de Zweig, la part d'inexplicable.

l'amok, c'est ça : un Malais, un brave homme quelconque,
sans histoires, est en train d'avaler sa mixture... il est là,
lourd, tranquille, inerte... [...] et soudain il bondit sur ses
pieds, attrape son poignard et fonce dans la rue... tout
droit, toujours tout droit... sans savoir où il va... Ce qui est
sur son chemin, homme ou bête, il le frappe de son kriss,
et l'ivresse du sang ne fait que l'exciter davantage... Il a

1. Voir note 1, p. 53.
2. Voir par exemple G. Ellis, *The Amok of the Malays*, Londres,
1893 ; B. Scheube, *Die Krankheiten der warmen Länder*, Iéna, 1896,
chap. « Das Amok-Laufen » ; P.C.J. Van Brero, « Sur l'amok », in
Annales médico-psychologiques, t. IV (1896), p. 364 *sq.*

l'écume aux lèvres, il hurle comme un forcené... mais il court, court, court sans plus regarder ni à droite ni à gauche, glapissant, le kriss ensanglanté, horrible à voir dans sa course en ligne droite... Les gens dans les villages savent que rien ne peut retenir un amok... alors ils crient à tue-tête sur son passage, en avertissement : « Amok ! Amok ! », et tout le monde s'enfuit... mais lui court sans entendre, sans voir, frappe ce qui est sur son passage... jusqu'à ce qu'on l'abatte comme un chien enragé ou qu'il s'effondre de lui-même, écumant...

Le tableau ici proposé s'inspire clairement d'un *corpus* de textes qui relèvent non pas de la littérature médicale, mais du récit de voyage, direct ou transposé. Il s'en inspire, toutefois, en y opérant des tris. Il est assez probable, par exemple, que Zweig, en bon connaisseur de Balzac, soit un jour tombé sur ce passage du *Voyage de Paris à Java* (1832) :

Le Javanais est brave, hospitalier, généreux et bon. Cependant l'opium le rend parfois furieux, et souvent, dans son ivresse, il fait le vœu singulier de mettre à mort tous ceux qu'il rencontrera. Ce vœu se nomme *amoc* [*sic*]. Cette disposition à la frénésie et son état normal sont si bien connus que lorsqu'un Javanais court par les rues avec un *amoc* en tête, les habitants sortent aussitôt sans trop d'épouvante de leur logis, et vont à la rencontre du fou, en tenant devant eux une grande fourche avec laquelle ils le saisissent par le cou ; d'autres lui jettent un nœud coulant, et on l'étrangle parfaitement sans autre cérémonie [1].

On le voit cependant, l'approche de Balzac était ici plaisante : dans un texte pétillant de verve, récit d'un voyage qu'il admettait avec désinvolture n'avoir jamais fait, la scène était comiquement dédramatisée, rendue presque anodine à force de pittoresque. Un « vœu singulier », voilà qui était vraiment trop dépourvu d'horreur et de mystère, et l'on gage que Zweig, s'il connaissait

---

1. Balzac, *Voyage de Paris à Java*, in *Œuvres diverses*, vol. 2, Paris, Gallimard, « Bibliothèque de la Pléiade », 1996, p. 1161.

cette source, l'a écartée, tout en s'étonnant que Balzac, le chantre de la passion et de la monomanie, soit resté aussi aveugle au formidable parti romanesque à tirer de l'amok.

D'autres sources pourraient l'avoir davantage inspiré, comme le *Voyage de la frégate autrichienne Novara autour du monde* (1861) où la description de l'amok ne diffère guère dans son contenu de celle de Balzac, mais se fait bien plus sérieuse et donc plus effrayante :

> cet étrange phénomène – le Malais court frénétiquement dans les rues armé d'un couteau ou d'un poignard et cherche à assassiner le premier être qu'il rencontre – se produit, paraît-il, une douzaine de fois par an. Le premier meurtre est habituellement commis avec préméditation, par haine ou par vengeance, mais ensuite l'assassin, le plus souvent excité par l'absorption d'opium, court dans les rues au cri sauvage d'« Amok ! Amok ! » (*Abattez ! Abattez !*) et poignarde quiconque croise son chemin. Comme on ne peut approcher le forcené qu'au péril de sa vie, les postes de garde tiennent en réserve des armes prévues à cet effet, faites d'une très longue perche en bois qui, à un bout, se termine en fourche, et avec laquelle on tente de capturer l'amok [1].

On relève déjà, comme chez Zweig, la mention du cri redoublé « Amok ! Amok ! », suivi d'une traduction apparemment erronée (le *Trésor de la langue française* fait dériver le terme, par l'anglais, du malais *amuk*, « furie, furieux »), mais expressive et frappante. Un doute plane sur l'origine du cri : il n'est pas clair si c'est l'amok qui le pousse, ou la foule sur son passage – une incertitude qu'on retrouvera dans d'autres sources –, encore que le pluriel, « Abattez ! », semble parler en faveur de la seconde hypothèse. Se trouve aussi avancé un élément d'explication : un premier meurtre, motivé, fait ensuite basculer l'amok dans une frénésie meurtrière gratuite.

---

1. K. von Scherzer et B. von Wüllerstorf-Urbair, *Reise der österreichischen Fregatte Novara um die Erde : In den Jahren 1857, 1858, 1859*, Vienne, 1861, vol. 2, p. 139.

L'effort d'explication est à la fois poussé plus loin et
déçu dans la revue allemande *Globus* (1865), une réfé-
rence en matière de géographie et d'ethnologie dans la
seconde moitié du XIXe siècle :

> Dès qu'un amok apparaît dans la rue, on entend pousser
> un cri d'avertissement, et tous ceux qui n'ont pas d'arme
> vont vite se réfugier dans les maisons. Mais celui qui est
> armé a le droit d'abattre l'amok comme une bête sauvage ;
> tous le rouent de coups, lui tirent dessus, d'autant plus que
> l'amok ne se rend jamais.
>
> Il est impossible de déceler les raisons de cette effrayante
> coutume. Beaucoup l'ont attribuée à une consommation
> excessive d'opium. Mais les Malais sont justement peu
> adonnés à ce vice [...]. Pour Cameron, ne courent l'amok
> que ceux qui sont las de vivre et veulent mourir de la main
> d'autrui, puisque leur religion leur interdit le suicide. Mais
> cela ne concorde pas avec le fait que beaucoup d'amoks
> s'efforcent de préserver leur vie. Récemment [on en a vu
> un] que tous connaissaient pour un homme travailleur et
> paisible. C'était aussi un pieux mahométan et, juste avant
> que la frénésie ne le prenne, il était en train de lire le Coran.
> On l'a étourdi d'un coup sur la nuque et [...] condamné à
> mort. Il a subi son châtiment avec la plus grande égalité
> d'âme et, interrogé sur les motifs de son acte, il a seulement
> répondu qu'il avait senti son heure venue, et était allé cher-
> cher la mort sans pouvoir s'en empêcher [1].

Notons la dimension de mort volontaire que l'auteur
de l'article mentionne, tout en la contestant. Son por-
trait du pieux mahométan, « homme travailleur et pai-
sible » (comme le « brave homme quelconque » dans le
texte de Zweig), saisi par une force irrépressible, incompréhensible, rapportée ici à l'idée que se fait l'Occident
du fatalisme oriental, conserve finalement une part de
mystère : l'amok peut se décrire, il ne s'explique pas
complètement.

---

1. *Globus. Illustrierte Zeitschrift für Länder- und Völkerkunde*, vol. 8,
1865, p. 277-278.

Bien différente est la présentation qu'en livre Alfred Russel Wallace, dans un récit de voyage au succès tel que, dès l'année de sa publication (1869), en parurent notamment une traduction allemande et de longues citations dans diverses revues, comme celle, française, que nous citerons ici :

> Courir l'amoc, c'est le procédé national, et point du tout déshonorant, pour se suicider [...]. Le vieux Romain se jetait sur son épée, le Japonais s'ouvre le ventre, l'Européen se brûle la cervelle, le Malais court l'amoc. Est-il offensé, a-t-il des dettes qu'il ne peut payer, a-t-il joué et perdu sa femme, ses enfants, lui-même ; sont-ils, de par cette perte, esclaves ou l'est-il lui-même, il prend son poignard et se lance dans la rue en criant : « amoc ! amoc [1] ! » Tout ce qu'il rencontre, il le tue. On lui court après avec des lances, des couteaux, des poignards, des fusils, et, si le souffle ne manque pas, on le tue comme un chien enragé. Cette coutume est tout à fait particulière à la race malaise [2].

Un mode de suicide honorable, digne d'un gentleman ou de son équivalent sous les tropiques quand, ayant tout perdu au jeu ou sur le champ de bataille (l'auteur a précédemment évoqué des amoks collectifs dans un contexte militaire, véritables assauts de kamikazes lancés en cas de défaite), il préfère la mort à la perte de son honneur et de sa liberté : voilà comment l'Anglais Wallace rationalise cette coutume malaise, et il est amusant de constater à quel point chaque source plie l'amok à ses propres présupposés.

Nous nous arrêterons là, car elles sont innombrables ; comme au surplus elles ont tendance à se citer ou à

---

1. Le traducteur français opte pour l'hypothèse selon laquelle c'est l'amok qui crie. À vrai dire, Wallace mentionnait simplement que les rues résonnaient du cri « amok ! amok ! ».

2. *Le Tour du monde. Nouveau journal des voyages*, Paris, Hachette, 1869, p. 472, citant Alfred Russel Wallace, *The Malay Archipelago*, Londres, MacMillan, vol. 1, p. 175 (dans la traduction allemande : *Der Malayische Archipel*, Braunschweig, Westermann, vol. 1, p. 247-248) ; p. 174 sur les amoks collectifs.

se plagier entre elles, il est bien difficile de déterminer précisément laquelle a pu servir à Zweig dans son propre tableau. Notons seulement que la dimension de fatalité, de force surhumaine et incompréhensible, est bien présente chez lui. Quant à l'explication de l'amok comme mode de suicide, elle lui est manifestement connue : toute la course folle du médecin pendant ces trois journées est décrite avec insistance comme un suicide social d'abord (lorsqu'il perd la face en courant devant des indigènes, se comporte de manière aberrante au bal du Gouvernement, puis soumet une demande de mutation au vice-résident d'une façon telle que celui-ci le croit malade ou fou), qui le mènera finalement au suicide tout court. L'explication lui est connue mais, chose importante, elle n'est pas *mentionnée* ; pas plus que ne sont mentionnés les détails qui, dans les sources, fournissent une explication trop univoque, une description trop concrète du phénomène en question.

Disparue, la fourche spécialement conçue pour capturer l'amok et dont Balzac tirait un effet presque drolatique. Occultée, la dimension de « vœu », de « coutume » ou de « procédé point du tout déshonorant » pour se suicider : l'amok chez Zweig n'apparaît que comme un mal énigmatique, et n'est pas qualifié. Du mot même, il prend soin de ne pas proposer une traduction qui l'enfermerait dans une signification précise, et le laisse résonner mystérieusement jusqu'à la fin de la nouvelle comme un pur signifiant sans signifié, un chiffre de l'effroi. Quant au cri « Amok ! Amok ! », il choisit l'hypothèse où c'est la foule qui le pousse, hypothèse permettant de tirer l'amok vers la furie tragique que déplore ou condamne, autour du personnage, un *chœur*.

Dans la masse des détails offerts par les multiples sources, Zweig a donc élagué tout ce qui était trop concret, trop explicatif, trop particulier, de manière à faire de l'amok une image à la fois frappante par son mystère, et ouverte, universalisable. En revanche il y a ajouté des motifs de son cru : la course « en ligne droite » d'un homme qui ne regarde plus « ni à droite ni à gauche », ne voit rien, n'entend rien et fonce vers l'abîme. Ce caractère rectiligne, et cette cécité, n'apparaissent que chez lui. Or ils sont promis, dans son œuvre, à une singulière fortune. C'est bien une course en ligne droite, aveugle à tout respect humain (et s'apparentant là aussi à un suicide social) qui amène l'héroïne de *Vingt-quatre heures de la vie d'une femme* à boucler en hâte ses malles pour se lancer, passionnément, à la poursuite d'un homme qu'elle connaît à peine. Homme qui, lui-même passionné de jeu, suivra son obsession sans regarder « ni à droite ni à gauche », jusqu'à trouver la mort. Une course en ligne droite vers un but jamais atteint – se faire aimer de l'homme qu'elle aime –, voilà aussi à quoi se résume une vie dans la *Lettre d'une inconnue* : on ne compte pas chez Zweig les tableaux de basculement dans la passion où une force irrépressible, proche du *fatum* tragique, lance les héros dans une course autodestructrice, plus rarement salutaire. Tous sont amok : Erwin Rieger, dans la recension que nous citions plus haut, notait à juste titre que l'amok était le commun dénominateur aux nouvelles du recueil. Ce qu'il ne pouvait prévoir, c'est à quel point la figure de l'amok resterait une matrice dans l'œuvre de l'auteur. Même l'enfermement du « Joueur d'échecs », prisonnier d'une chambre d'hôtel à peine meublée d'une table, d'un lit, d'un lavabo, et qui s'en échappe par la fuite intérieure dans une folie échiquéenne monomaniaque, tire encore son origine de la scène d'*Amok* où le médecin, revenu à son hôtel, attend aveuglément un signe de l'Anglaise :

> Imaginez une petite chambre en plein soleil, où monte peu à peu la fournaise de midi... une petite chambre, juste une table, une chaise et un lit... Et sur la table, rien qu'une montre et un revolver, et devant la table un être humain... qui ne fait que fixer la table, fixer la trotteuse de la montre... sans manger, sans boire, sans fumer, sans remuer... [...] Voilà... voilà comment j'ai passé cette journée, à attendre, attendre, attendre... mais attendre comme... comme un

amok fait tout ce qu'il fait : aveuglément, animalement, dans son obstination furieuse et rectiligne.

L'amok est bien une matrice de la passion zwei-gienne, qui en réunit tous les attributs : destructrice, inexplicable, un ouragan sur le passage duquel se lèvent des cris d'effroi. Mais aussi sublime, divine presque, en tout cas rédemptrice. Dans sa course fatale, le médecin d'*Amok* échappe au sordide et à l'abjection qui le carac-térisaient (peu de héros zweigiens suscitent de prime abord aussi peu d'empathie) pour basculer dans un amour que nous n'hésiterons pas à qualifier de pur, épuré de tout désir, de tout but, de toute particularité, et qu'il poussera jusqu'à la mort sacrificielle. Il n'y a plus, alors, de mâle dominé par une femme altière, de colon dominant des « brutes » indigènes : parvenus dans une sphère plus haute où s'abolit toute domination, nous n'avons plus devant nous qu'un héros tragique-ment seul en face de son destin, un corps sans nom flottant dans le port de Naples.

Diane MEUR

NOTE SUR LA TRADUCTION

La présente traduction se fonde sur l'édition Fischer des *Meisternovellen* (Francfort-sur-le-Main, 2001), qui présente de minimes variantes par rapport à l'édition originale de la *Neue Freie Presse* (4 juin 1922, p. 31-40). En plusieurs occasions toutefois, le texte de 1922 semblait plus exact et a donc été préféré : « Le ciel resplendissait. Il était sombre [*Er war dunkel*], à côté des étoiles qui y dansaient toutes blanches, et pourtant il resplendissait » (p. 43), plutôt que *Es war dunkel*, « Il faisait sombre » dans l'édition Fischer ; « Je suis là-haut dans mon sale trou [*Nest*] comme une araignée dans sa toile [*Netz*] » (p. 56), là où l'édition Fischer donne deux fois le mot *Netz* ; « La voix *hésite* un instant » (p. 60), plutôt que « La voix *hésita* un instant », la phrase suivante étant aussi au présent.

AMOK

En mars 1912, dans le port de Naples, alors qu'on déchargeait un gros paquebot transocéanique, il se produisit un curieux accident sur lequel la presse publia des reportages substantiels, mais agrémentés de détails très fantaisistes. Quoique passager de l'*Océania*, je ne pus pas plus que les autres en être témoin car il avait eu lieu dans la soirée, pendant le rechargement de la soute et le débardage du fret, et pour échapper au vacarme, nous étions tous descendus à terre et occupions notre temps au café ou au théâtre. À titre personnel, je crois pourtant que certaines suppositions, alors gardées par-devers moi, contiennent la véritable clé de cette scène saisissante, et après tant d'années, il m'est sans doute permis de divulguer les confidences recueillies lors d'une conversation qui précéda immédiatement cet étrange épisode.

À l'agence maritime de Calcutta, quand je voulus réserver une place sur l'*Océania* pour retourner en Europe, l'employé eut un haussement d'épaules navré. Il ne savait pas encore s'il pourrait me trouver une cabine ; en cette saison, juste avant le début de la mousson, le bateau était généralement complet dès son départ d'Australie ; il fallait attendre le télégramme de Singapour. Le lendemain, heureusement, il m'annonça qu'il pouvait m'avoir une place, une cabine peu confortable, à vrai dire, située sous le pont et au milieu du

bateau. Impatient de rentrer, je ne balançai pas longtemps et je la réservai.

L'employé avait dit vrai. Le bateau était bondé et la
cabine, médiocre : c'était un étroit cagibi niché près des
machines, où le regard morne de la vitre arrondie met-
tait la seule lumière. Confiné, épais, l'air sentait l'huile
et le pourri : pas un instant vous n'échappiez au ventilateur électrique qui, telle une chauve-souris d'acier devenue folle, vous tournait au-dessus du front en
bourdonnant. D'en bas montait le ahanement des
machines, comme un marchand de charbon gravissant
inlassablement les mêmes escaliers ; d'en haut vous par-
venait sans discontinuer le va-et-vient traînant des pas
sur le pont-promenade [1]. Une tombe tout en traverses
grises, qui sentait le renfermé : à peine y eus-je casé
ma valise que je retournai me réfugier sur le pont et,
émergeant des profondeurs, j'aspirai comme de l'ambre
la brise suave qui soufflait de la terre en survolant les
vagues.

Mais même le pont-promenade était bruyant et
encombré : une foule papillonnante de passagers papo-
tant l'arpentait sans relâche, ne tenant pas en place dans
son oisiveté forcée. Les minauderies babillardes des
femmes, la noria des promeneurs dans l'espace resserré
du pont, où leur troupe passait en houle bavarde devant
les rangées de chaises, me faisaient presque mal. Je
venais de voir un monde nouveau, d'absorber une succession follement rapide d'images. J'aurais voulu y
repenser, analyser, ordonner et mettre en forme, après
coup, tout ce dont mon regard s'était imprégné à chaud,
mais dans cette cohue de boulevard, il n'était pas un
instant de calme ni de répit. Prenait-on un livre, les
lignes se brouillaient dans l'ombre intermittente des
causeurs en mouvement. Impossible d'être seul avec
soi-même, dans cette rue navigante écrasée de soleil.

---

1. Pont réservé aux passagers, équipé de chaises longues et quelquefois abrité par un auvent.

Pendant trois jours j'essayai, j'observai avec résignation les gens, la mer, mais la mer restait toujours la même, bleue et vide, ne s'embrasant de couleurs, subitement, qu'au coucher du soleil. Et les gens, je les connaissais par cœur au bout de trois fois vingt-quatre heures. Chaque visage m'était familier jusqu'au dégoût, le rire provocant des femmes avait cessé de m'exciter, comme avait cessé de m'irriter la tonitruante querelle de deux officiers hollandais voisins. Ne restait que la fuite : mais ma cabine était une étuve, et, au salon, de jeunes Anglaises se relayaient au piano pour nous interpréter des valses hachées. Je finis par inverser radicalement mon emploi du temps : dès l'après-midi, après m'être étourdi avec quelques bières, j'allai m'enfouir dans ma cabine afin de dormir pendant le dîner et la soirée dansante.

À mon réveil, il faisait noir et étouffant dans mon petit cercueil. Ayant coupé le ventilateur, je mijotais dans un air gras et moite qui me serrait les tempes. Mes sens étaient comme engourdis : il me fallut plusieurs minutes pour retrouver la notion du temps et comprendre où j'étais. En tout cas il devait être minuit passé, car je n'entendais plus de musique ni de traînement de pas : seule la machinerie, cœur et poumon du Léviathan, continuait d'ahaner, propulsant le corps froufroutant du vaisseau à travers l'invisible.

Incertain, je montai sur le pont. Il était désert. Et quand j'élevai le regard au-dessus de l'énorme cheminée et des espars à l'éclat fantomatique, une magique clarté m'emplit les yeux. Le ciel resplendissait. Il était sombre, à côté des étoiles qui y dansaient toutes blanches, et pourtant il resplendissait ; c'était comme si un rideau de velours avait voilé là-haut une aveuglante lumière, comme si ce semis d'étoiles n'était que lucarnes et fentes par lesquelles filtrait l'indescriptible clarté. Jamais je n'avais vu le ciel comme en cette nuit-là, aussi resplendissant, d'un bleu d'acier et pourtant étincelant, ruisselant, écumant, bouillonnant de cette lumière qui tombait, couverte, de la lune et des étoiles et semblait émaner d'un mystérieux foyer. Laquées de blanc, toutes les arêtes du vaisseau réfléchissaient crûment la lueur de la lune sur fond d'une mer de velours sombre ; cordages, vergues, tous les objets filiformes, tous les contours étaient noyés dans cet éclat : les fanaux des mats et, au-dessus, l'œil arrondi de la hune semblaient flotter dans le vide, terrestres étoiles jaunes parmi celles, resplendissantes, du ciel.

Juste au-dessus de moi il y avait la constellation magique, la Croix du Sud, tendue dans l'invisible par des clous de diamants et qui paraissait glisser dans le ciel, bien que le mouvement ne vînt que du navire qui, tremblant un peu, fendait les vagues sombres, gigantesque nageur s'élevant et retombant, s'élevant et retombant au rythme de son souffle. Immobile, je regardais le ciel : j'étais comme dans un bain, où l'eau tombe chaudement d'en haut, mais ici c'était de la lumière qui, blanche, tiède, me ruisselait sur les mains, m'inondait doucement les épaules, la tête, semblait même s'insinuer sous ma peau, car toute torpeur en moi s'était soudain dissipée. Je respirais plus librement, purement, et avec une brusque félicité je sentais passer sur mes lèvres, comme une claire boisson, l'air doux, piquant, un peu grisant, qui portait en lui une haleine fruitée, un parfum d'îles lointaines. Enfin, pour la première fois depuis que j'étais à bord, j'éprouvais le saint plaisir de rêver et celui, plus charnel, de m'abandonner femellement[1] à la douceur ambiante. Je voulus m'allonger, afin de contempler au-dessus de moi ces blancs hiéroglyphes. Mais les fauteuils, les chaises longues avaient été rangés ; aucun lieu, sur le pont-promenade désert, ne se prêtait à un repos rêveur.

Ainsi je continuai de progresser à pas incertains vers l'avant du bateau, aveuglé par la lumière que les objets semblaient projeter sur moi avec une intensité croissante.

---

1. Sur ce terme frappant, voir Présentation, p. 16-17.

Cela faisait presque mal, cette lumière crayeuse
d'étoiles, crue et ardente, j'éprouvais le besoin d'aller
me terrer quelque part à l'ombre sur une natte, pour
sentir cet éclat non plus sur moi, mais au-dessus de moi,
réfléchi par les choses, comme on voit un paysage
depuis une pièce assombrie. Enfin, trébuchant sur des
cordages et passant successivement les cabestans de
métal, je parvins à la pointe [1] du navire et regardai
l'étrave fendre l'eau noire comme une lame, tandis
qu'un clair de lune fondu jaillissait en écumant des deux
côtés. Le soc se soulevait puis replongeait dans cette
glèbe liquide, perpétuellement, et je ressentais tous les
affres de l'élément vaincu, toute la jouissance de la
vigueur terrestre dans ce jeu étincelant. Et, absorbé par
ma contemplation, je perdis le fil du temps. Étais-je là
depuis une heure, ou seulement quelques minutes ? Le
balancement alterné du navire, ce formidable berceau,
m'avait soustrait à la temporalité. Je sentais seulement
descendre en moi une fatigue qui était comme une
volupté. J'avais envie de dormir, de rêver, mais sans
quitter cette magie, sans redescendre dans mon cercueil. Mon pied toucha, sur le sol, un paquet de cor-
dage. Je m'y assis, les paupières closes et néanmoins
traversées encore par la clarté d'argent qui, au-dessus
de moi, se déversait à flot. Là en bas je sentais bruisser
l'onde, au-dessus de moi, inaudible, le flot blanc de ce
monde. Et peu à peu, le bruissement enfla, pénétrant
mon sang même : je ne me sentais plus, je ne savais si
ce souffle était le mien ou le battement de cœur étouffé
du navire, je m'épanchais, je me vidais dans le bruissement sans repos de ce monde nocturne.

Une petite toux sèche, tout près de moi, me fit sursauter. Je m'arrachai à ma rêverie presque ivre. Éblouis

---

1. Dans l'original : *Kiel*, « quille » ou « carène », mais d'après le
contexte il s'agit probablement d'une confusion. Nous traduisons
donc par ce terme qui n'a rien de technique.

par la lueur blanche tombant sur mes paupières jusque-
là closes, mes yeux errèrent : face à moi, dans l'ombre
du bastingage, semblaient briller des verres de lunettes,
et voilà que rougeoyait une grosse flammèche ronde, le
fourneau d'une pipe. En m'asseyant, comme je n'avais
d'yeux que pour la lame écumante de l'étrave et, au-
dessus de moi, la Croix du Sud, je n'avais pas dû remarquer ce voisin qui se tenait forcément là, immobile,
depuis le début. Je n'avais pas encore retrouvé mes
esprits et je lançai donc sans réfléchir, en allemand :

« Excusez-moi !

– Mais je vous en prie… », répondit en allemand la
voix venue de l'ombre.

Je ne puis dire combien c'était étrange et sinistre,
cette proximité muette dans le noir avec quelqu'un
qu'on ne voyait pas. Je sentais confusément que l'indi-
vidu me fixait, tout comme je le fixais : mais la lumière
au-dessus de nous, ce flot de blancheur scintillante était
si fort que nous ne voyions l'un de l'autre qu'une silhouette dans l'ombre. Il me semblait seulement perce-
voir son souffle, ainsi qu'un chuintement quand il tirait
sur sa pipe.

Ce silence était insupportable. Je brûlais de m'en
aller, mais je ne pouvais le faire si tôt sans paraître cas-
sant. Par gêne, je sortis une cigarette. L'allumette
craqua, un instant sa lumière éclaira notre recoin.
J'aperçus, derrière des verres de lunette, un visage que
je n'avais jamais vu à bord, ni aux repas ni en prome-
nade, et – mes yeux étaient-ils blessés par la flamme
soudaine, ou était-ce une hallucination ? – il me parut
grimaçant, lugubre, un vrai visage de gnome. Mais
avant que j'aie pu en distinguer les détails, ses traits
fugitivement éclairés replongèrent dans le noir, je ne
voyais plus qu'une silhouette, ombre tapie dans
l'ombre, et par instants l'anneau de feu de sa pipe qui
flottait dans le vide. Nous ne parlions ni l'un ni l'autre,
et ce silence était lourd et oppressant comme l'air des
tropiques.

Pour finir je n'y tins plus. Je me levai et dis poliment :
« Bonne nuit.

– Bonne nuit », répondit dans le noir une voix
rauque, rouillée.

Je me frayai un chemin à travers les agrès, le long de
la rambarde. Puis j'entendis dans mon dos un pas
rapide et mal assuré. C'était mon voisin de tout à
l'heure. Machinalement je m'arrêtai. Il restait à distance, et je sentais un je ne sais quoi d'anxieux et
d'abattu dans sa démarche.

« Veuillez m'excuser, dit-il alors d'un ton précipité, si
je vous adresse une prière. Je... je... » – il bredouillait
et, d'embarras, ne put reprendre tout de suite – « je...
j'ai des raisons personnelles... très personnelles de
m'isoler ici... un deuil... j'évite la société à bord... Pas
vous, non, non... Simplement je voudrais vous prier...
Vous m'obligeriez beaucoup en ne disant à personne à
bord que vous m'avez vu là... Ce sont des raisons...
personnelles, en quelque sorte, qui m'empêchent en ce
moment de me joindre aux autres... oui... donc... il me
serait désagréable que vous mentionniez que quelqu'un
ici, la nuit... que je... » À nouveau la parole lui manqua.
Je mis fin à son désarroi en me dépêchant de lui assurer
que j'agirais selon son vœu. Nous nous serrâmes la
main. Puis je retournai dans ma cabine et dormis
d'un sommeil lourd, curieusement entrecoupé, peuplé
d'images confuses.

Je tins parole et ne parlai à personne de cette étrange
rencontre, quoique la tentation fût grande. Car lors
d'un voyage en mer, la moindre bagatelle fait événement : une voile à l'horizon, le saut d'un dauphin, la
découverte d'un nouveau flirt, une vague plaisanterie.
Et puis j'étais terriblement curieux d'en savoir plus sur
ce passager inhabituel. J'épluchai le registre de bord à
la recherche d'un nom qui pût être le sien, je passai en
revue les gens, en me demandant qui pouvait le

connaître : toute la journée je fus en proie à une impatience nerveuse, et à vrai dire je ne fis qu'attendre le soir, pour savoir si j'allais à nouveau le rencontrer. Les énigmes psychologiques ont sur moi un pouvoir presque inquiétant, l'envie me démange d'en percer les mécanismes, et les êtres bizarres, par leur simple présence, peuvent déclencher en moi une passion de connaître à peine moins forte que la passion de posséder que m'inspirerait une femme. La journée me parut interminable et s'émietta sans que j'en fasse rien. Je me couchai tôt : je savais que je me réveillerais à minuit, que la curiosité me tirerait du sommeil.

Et en effet, je m'éveillai à la même heure que la veille. Sur le cadran radium de ma pendulette[1], les deux aiguilles formaient un seul trait luminescent. En hâte je quittai mon étouffante cabine pour sortir dans la nuit, plus étouffante encore.

Les étoiles resplendissaient comme la veille et versaient une lumière diffuse sur le navire frémissant ; haut dans le ciel flamboyait la Croix du Sud. Tout était comme la veille : sous les tropiques, les jours, les nuits se ressemblent plus que sous nos latitudes. Moi seul n'éprouvais plus en moi le doux bercement rêveur qui m'avait baigné la veille. Quelque chose m'attirait, me troublait, et je savais bien quoi : le noir cabestan de la pointe[2], où je retomberais peut-être sur mon mystérieux inconnu. Au-dessus de moi sonna la cloche du bateau. Ce fut comme un signal. Pas à pas, attiré malgré moi, je cédai à mon propre mouvement. Je n'étais pas encore arrivé à la proue que j'y vis jaillir l'éclair d'un œil rouge : la pipe. Il était donc là.

D'instinct, j'eus un mouvement de recul. Un peu plus et je rebroussais chemin. Et voilà qu'une forme remua

---

1. Découvert assez récemment, le radium s'utilisait alors beaucoup pour ses qualités phosphorescentes, notamment dans les montres ou horloges dites à « cadran radium ».

2. Voir note 1, p. 45.

dans l'obscurité, se leva, fit deux pas, et soudain j'entendis juste devant moi la voix de l'homme, polie et étouffée :

« Excusez-moi, apparemment vous aimeriez retrouver votre place et il me semble que vous avez battu en retraite en me voyant. Je vous en prie, asseyez-vous donc, je vais m'en aller. »

À mon tour je me hâtai de lui dire qu'il pouvait très bien rester : je ne m'étais retiré que pour ne pas le déranger. « Vous ne me dérangez pas, dit-il avec une certaine amertume, au contraire je suis content de ne pas être seul, pour une fois. Dix jours que je n'ai pas prononcé un mot... des années, en fait... et alors ça devient tellement difficile, peut-être parce qu'on étouffe, justement, de tout garder pour soi... Je ne peux plus rester dans ma cabine, dans ce... ce cercueil... je ne peux plus... mais les gens non plus je ne les supporte pas, ils rient toute la journée... je ne peux pas le supporter en ce moment... j'entends leurs rires jusque dans ma cabine et je me bouche les oreilles... À vrai dire, ils ne savent pas que... enfin ils ne savent pas, et quand bien même ils sauraient, qu'est-ce que ça peut leur faire... »

À nouveau il s'interrompit. Puis, sans crier gare, il se dépêcha d'ajouter : « Mais je vous ennuie... Excusez mon bavardage. »

Il salua et fit mine de partir. Mais je protestai vivement : « Vous ne m'ennuyez pas du tout. Moi aussi, je suis content de pouvoir échanger quelques mots dans le calme... Une cigarette ? »

Il en prit une. Je la lui allumai. De nouveau le visage se découpa, tremblotant, sur le noir du bastingage mais cette fois tourné en plein vers moi : les yeux derrière leurs lunettes scrutaient mon visage, avides et égarés. Un frisson me parcourut. Je sentais que cet homme voulait parler, devait parler. Et je savais que pour l'aider, je devais, moi, garder le silence.

Nous allâmes nous rasseoir. Il avait là-bas une seconde chaise longue qu'il me proposa. Nos cigarettes rougeoyaient, et aux mouvements nerveux que décrivait dans l'obscurité l'anneau lumineux de la sienne, je vis que sa main tremblait. Mais je me taisais, et lui aussi. Puis, à brûle-pourpoint, il murmura :

« Vous êtes très fatigué ?

– Non, pas du tout. »

La voix venue de l'ombre hésita de nouveau.

« Je vous demanderais bien quelque chose... enfin, je voudrais vous raconter quelque chose. Je sais, je sais pertinemment l'absurdité qu'il y a à se confier au premier venu, mais... je suis... je suis dans un état psychique épouvantable... j'en suis au point où il faut absolument que je parle à quelqu'un... sans quoi c'en est fait de moi... Vous le comprendrez, quand je... eh bien quand je vous raconterai, pardi... Je sais que vous ne pourrez pas me venir en aide... mais je suis presque malade de me taire... et un malade paraît toujours ridicule aux autres... »

L'interrompant, je le priai de ne pas s'en faire et de me raconter tranquillement son histoire. Bien sûr je ne lui promettais rien, mais il était de mon devoir, n'est-ce pas, de lui offrir mon assistance. Devant un être en détresse, bien sûr que nous avions le devoir d'aider...

« Le devoir... d'offrir son assistance... le devoir d'essayer... Vous pensez donc aussi... vous pensez, vous aussi, qu'on a le devoir... le devoir d'offrir son assistance. »

Trois fois il répéta cette phrase d'un ton morne, entre ses dents, j'en avais froid dans le dos. Était-il fou ? ivre ?

Mais, comme si j'avais émis tout haut ces hypothèses, voilà qu'il dit d'une voix changée : « Vous me croyez peut-être dément ou ivre. Eh bien, non ; pas encore. Mais le mot que vous avez eu m'a extraordinairement frappé... extraordinairement frappé, oui, car telle est bien la question qui me tourmente en ce moment : est-ce qu'on a le devoir... le devoir... »

De nouveau sa langue s'embarrassa. Il se tut un instant et prit une nouvelle lancée :

« Voyez-vous, je suis médecin. Et en tant que médecin, on tombe souvent sur de tels cas, des cas qui peuvent être lourds de conséquences... des cas limite, disons, où on ne sait pas si on a le devoir... C'est qu'il n'y a pas seulement un devoir, celui qu'on a envers les autres ; il y a un devoir vis-à-vis de soi, vis-à-vis de l'État, vis-à-vis de la science... Bien sûr qu'on a le devoir d'aider, on est là pour ça... mais ces principes sont purement théoriques... Jusqu'où aider ?... Tenez : je ne vous connais pas, vous ne me connaissez pas, et voilà que je vous demande de ne pas dire que vous m'avez vu... Bon, vous ne dites rien, vous faites votre devoir... Je vous demande de parler avec moi parce que je n'en peux plus de me taire... Vous êtes prêt à m'écouter... bon... Mais c'est encore facile... Seulement, si je vous priais de m'empoigner et de me jeter par-dessus bord, hein ?... la complaisance, la serviabilité a des limites. Elle s'arrête quelque part... là où il commence à s'agir de notre vie, de notre responsabilité... Il faut bien qu'elle s'arrête quelque part... Il faut bien que ce devoir ait des limites... À moins que ce ne soit pas vrai pour un médecin ? Doit-il être un Sauveur, une providence universelle, pour la seule raison qu'il possède un diplôme avec des mots latins, doit-il vraiment sacrifier sa vie et se couper en quatre quand une... quand on vient lui demander de se montrer noble, serviable et bon ? Oui, le devoir s'arrête quelque part... là où nous ne pouvons plus, très exactement là... »

Il se tut à nouveau et se redressa vivement.

« Excusez-moi... tout de suite je m'échauffe... mais je ne suis pas ivre... pas encore... Ça aussi, ça m'arrive souvent désormais, je vous l'avoue sans honte, dans cette solitude infernale... Songez que pendant sept ans, je n'ai presque vécu qu'avec des indigènes et des animaux... On en oublie l'art de la conversation tranquille. Et alors, dès qu'on se confie, c'est tout de suite

un déluge… Mais attendez… ah oui, je me souviens…
je voulais vous demander, je voulais vous soumettre un
de ces cas où on ne sait plus si on a le devoir d'aider…
de jouer les anges gardiens, de se… mais je crains d'être
un peu long. Vraiment, vous n'êtes pas fatigué ?

– Non, pas du tout.

– Je… je vous remercie… Vous prendrez quelque
chose ? »

Il fourrageait derrière lui, dans le noir. Il y eut un
entrechoquement de bouteilles, deux ou trois, au
moins, qu'il avait à côté de lui. Il m'offrit un whisky où
je trempai mes lèvres, pendant qu'il avalait le sien d'un
coup. Un silence se fit, et dans ce silence la cloche
sonna : minuit et demi.

« Donc… je voudrais vous exposer un cas. Supposez
qu'un médecin, dans une… une assez petite ville…
c'est-à-dire à la campagne… un médecin qui… un
médecin qui… » De nouveau il resta court. Puis, d'un
geste brusque, il rapprocha son fauteuil.

« Non, ça ne va pas. Il faut que je vous raconte les
choses comme elles se sont passées, et en partant du
début, sinon vous ne comprendrez pas… Je ne peux pas
vous les présenter comme un exemple, un problème
théorique… C'est de mon cas que je dois vous parler.
Pas de pudeur, pas de dissimulation qui tiennent…
Devant moi, les gens aussi se mettent nus et me
montrent leur teigne, leurs urines et leurs excréments…
Quand on veut de l'aide, il ne s'agit pas de tourner
autour du pot et de garder des choses pour soi… Alors
je ne vous raconterai pas le cas d'un médecin lambda…
je vais me mettre nu, et parler de moi à la première
personne… J'ai oublié la pudeur dans cette solitude sordide, dans ce sale pays qui vous ronge l'âme et vous
suce la moelle des reins. »

J'avais dû faire un geste, car il s'interrompit.

« Ah, vous protestez... Je comprends, vous êtes enthousiasmé par l'Inde, les temples et les palmiers, par tout le romantisme d'un voyage de deux mois. Oui, ils sont magiques, les tropiques, quand on les parcourt en train, en automobile, en *rickshaw* : c'est ce que je trouvais aussi à mon arrivée, il y a sept ans. Ah, j'en avais, des rêves : apprendre la langue et lire les livres sacrés dans le texte [1], étudier les maladies, faire œuvre scientifique, explorer la psyché indigène – c'est ainsi qu'on s'exprime dans le jargon européen –, devenir un missionnaire de l'humanité, de la civilisation. Tous ceux qui arrivent ont le même rêve. Mais dans cette serre aux parois invisibles, vos forces vous abandonnent, la fièvre – car on l'attrape, malgré toute la quinine qu'on peut ingurgiter – vous attaque les moelles, vous devenez amorphe et indolent, mou, une méduse. D'une certaine façon, un Européen se trouve coupé de sa vraie nature quand il quitte les grandes villes et atterrit dans un de ces bourbiers au bout du monde : tôt ou tard il se met à battre de l'aile, les uns boivent, d'autres fument de l'opium, d'autres encore cognent et deviennent des bêtes, tous prennent un grain. On se languit de l'Europe, on rêve de marcher à nouveau dans une rue, de se trouver dans une pièce claire, bâtie en dur, parmi des Blancs, on en rêve, année après année, et quand arrive le moment où on pourrait prendre un congé, on n'a déjà plus l'énergie de partir. On sait que là-bas on n'est plus personne, un mollusque perdu dans cet océan et que tout le monde foulera aux pieds. Alors on reste,

---

1. « Apprendre la langue et lire les livres sacrés dans le texte » : ces rêves seraient plutôt ceux d'un Européen en route pour l'Inde, à une époque où l'orientalisme européen s'enflammait pour le sanskrit, la spiritualité hindoue et les Veda. S'agissant de l'Indonésie, où cohabitent alors musulmans, animistes et quelques minorités hindoues, il est difficile de déterminer à quelle langue et à quels livres pense le médecin. Concluons plutôt à un lapsus de Zweig, qui a mis beaucoup de souvenirs de son voyage en Inde dans cette nouvelle censément située à Java.

on se laisse aller, on se décatit au milieu de ces forêts torrides et trempées d'eau. Maudit soit le jour où j'ai signé pour aller servir dans ce sale trou...

« Du reste, ce n'était pas tout à fait de mon plein gré. J'avais fait mes études en Allemagne, j'étais devenu docteur en médecine, bon praticien même, avec un poste à l'hôpital de Leipzig ; dans une série oubliée des *Medizinische Blätter*[1], on a beaucoup parlé autrefois d'une nouvelle injection que j'avais été le premier à pratiquer. Puis il y a eu une affaire de femme. Une patiente, à l'hôpital. Elle avait tellement rendu fou son amant qu'il lui avait tiré dessus, et bientôt j'étais aussi fou que lui. Elle avait une façon de se montrer hautaine et froide qui me faisait perdre la tête ; toujours les femmes dominatrices et insolentes m'avaient tenu dans leur poing, mais celle-là, elle me serrait à m'en broyer les os. J'ai fait ce qu'elle voulait, je... – allons, pourquoi ne pas le dire, c'était il y a huit ans – j'ai pris, pour elle, dans la caisse de l'hôpital, et quand la chose s'est sue, ç'a été un raffut de tous les diables. Un oncle à moi a pu boucher le trou, mais c'en était fini de ma carrière. C'est alors que j'ai appris que le gouvernement hollandais recrutait des médecins pour ses colonies, avec à la clé une prime d'engagement. Pour qu'ils offrent une prime, ai-je tout de suite pensé, ça devait être du beau ; je savais que dans ces nids à malaria, les croix tombales poussent trois fois plus vite que chez nous, mais quand on est jeune, on pense que la fièvre et la mort ne touchent jamais que les autres. Et puis je n'avais pas tellement le choix ; je suis donc allé à Rotterdam, j'ai signé pour dix ans, reçu une belle liasse de billets dont j'ai envoyé une moitié à mon oncle ; l'autre moitié, je me la suis laissé prendre dans le quartier du port par une créature à qui je n'ai rien pu refuser parce qu'elle

---

1. Plusieurs revues médicales ont porté ce titre, dont la prestigieuse *Wiener medicinische Blätter* fondée dans la deuxième moitié du XIXe siècle.

ressemblait trop à cette maudite chatte. C'est sans argent, sans montre, sans illusions que j'ai quitté l'Europe, et je n'étais pas si triste quand nous avons levé l'ancre. Ensuite j'ai passé mon temps sur le pont, comme vous, comme tout le monde, à regarder la Croix du Sud et les palmiers, mon cœur se gonflait : ah, les forêts, la solitude, le silence ! rêvais-je. En fait de solitude, j'en ai vite eu ma dose. On ne m'a pas nommé à Batavia ou à Surabaya, dans une ville avec des gens, des clubs, un golf, des livres, des journaux, mais – le nom de l'endroit ne fait rien à l'affaire – dans une quelconque station de district, à des lieues et des lieues[1] de la ville la plus proche. Quelques fonctionnaires ennuyeux et desséchés, quelques *halfcasts*[2] composaient toute ma société ; sinon, ce n'étaient à perte de vue que la forêt, les plantations, la jungle et les marais.

« Au début c'était encore supportable. Je menais toutes sortes de recherches ; un jour que le vice-résident[3] en tournée d'inspection avait versé en automobile et s'était fracassé une jambe, j'ai pratiqué, sans aide, une opération dont on a fait grand bruit ; je collectionnais des poisons et des armes indigènes, je m'occupais de cent petites choses pour me tenir en éveil. Cela a duré tant que l'énergie de l'Europe agissait encore en moi ; ensuite, je me suis étiolé. Les quelques Européens m'ennuyaient, j'ai rompu avec eux, je me suis mis à boire et à me réfugier dans mes rêves. Il ne me restait que deux ans à tirer, après quoi je serais libre et pen-

---

1. Littéralement : « à deux journées de voyage », mais l'expression doit sans doute être prise au figuré puisque le chef-lieu lui-même, apprenons-nous plus loin, est accessible en huit heures de chemin de fer.

2. *Halfcast* ou *half-caste* : dans le jargon colonial anglais, « sang-mêlé », métis de Blanc et d'indigène. Voir à ce propos le passage du *Monde d'hier* cité dans la Présentation, p. 21.

3. Les Indes néerlandaises étaient divisées en une trentaine de régions ou « résidences » ; à leur tête, des « résidents » secondés localement par des adjoints. Le terme exact est plutôt « assistant-résident ».

sionné, je pourrais rentrer en Europe, entamer une nouvelle vie. En fait je ne faisais plus qu'attendre, végéter
et attendre. Et j'y serais encore, si elle... si cela n'était
pas arrivé. »

La voix dans le noir se tut. La pipe aussi avait cessé
de rougeoyer. Le silence était tel que, tout d'un coup,
j'entendais à nouveau l'eau qui se brisait en écumant
contre la carène et le battement de cœur étouffé des
machines. Je me serais bien allumé une cigarette, si je
n'avais craint la lueur crue de l'allumette et son reflet
sur le visage de l'homme. Ce dernier restait toujours
muet. Je ne savais s'il avait terminé, s'il rêvassait, s'il
dormait, tant son silence était de mort.
    Alors la cloche du bateau sonna un coup net et vigou-
reux : une heure. Il sursauta ; à nouveau j'entendis un
tintement de verre. Apparemment sa main était descen-
due vers le plancher à la recherche du whisky. Le petit
bruit d'une déglutition, puis soudain la voix reprit, mais
cette fois plus tendue, plus passionnée.
    « Alors oui... attendez... Donc, vous voyez le tableau.
Je suis là-haut dans mon sale trou comme une araignée
dans sa toile, sans bouger, depuis des mois. C'était juste
après la mousson [1], des semaines et des semaines à
entendre les gouttes s'écraser sur le toit, aucun visiteur,
aucun Européen, des journées entières à traîner chez
moi entre mes mousmés et mon bon whisky. À ce
moment-là j'étais complètement *down*, en manque
d'Europe ; dans un roman, quand je lisais un passage
évoquant des rues claires et des Blanches, mes doigts se
mettaient à trembler. Je ne saurais vous décrire cet état,

---

1. D'après la chronologie interne du texte, ces événements ne sont
pourtant antérieurs que de deux ou trois semaines à l'embarcation du
narrateur à bord de l'*Océania*, « juste avant le début de la mousson ».
L'apparente contradiction s'explique par une différence de climat : la
mousson en Indonésie s'achève en mars-avril, alors qu'elle commence
en juin dans la région de Calcutta.

c'est une sorte de maladie tropicale, une nostalgie qui vous prend par moments, furieuse, fébrile et néanmoins impuissante. J'étais donc là, en train de regarder un atlas, je crois, en rêvant de voyages. Et voilà qu'on frappe vivement à la porte : le boy et une des femmes sont sur le seuil, tous deux écarquillent les yeux d'étonnement. Ils gesticulent : une dame est là, une *lady*, une Blanche.

« J'ai un sursaut. Je n'ai pas entendu d'attelage arriver, ni d'automobile. Une Blanche, dans cette jungle ?

« Je m'apprête à prendre l'escalier mais je me retiens un instant. Un coup d'œil au miroir, vite je m'arrange un peu. Je suis nerveux, inquiet, vaguement tourmenté par un mauvais pressentiment, car je ne connais personne au monde qui viendrait me voir par amitié. Enfin je descends.

« Dans le vestibule, la dame qui m'attendait se hâte au-devant de moi. Un voile d'automobile [1] épais couvre son visage. Je m'apprête à la saluer, elle me devance. "Bonjour, docteur", dit-elle en anglais d'un ton volubile (trop volubile, comme si elle avait répété à l'avance son rôle). "Excusez-moi de vous surprendre ainsi. Mais nous passions justement à la station, notre auto est là-bas", – pourquoi ne s'est-elle pas fait conduire jusque chez moi ? ai-je le temps de penser – "et je me suis souvenue que vous habitiez ici. J'ai tellement entendu parler de vous ! il faut dire que vous avez fait un vrai miracle avec le vice-résident, sa jambe est parfaitement *all right* maintenant, il rejoue au golf comme avant. Oh, mais vous savez qu'on ne parle encore que de ça sur la côte, et nous serions tous prêts à céder notre ours mal léché de *surgeon* [2], et les deux autres par-dessus le marché, si

---

1. Pour se protéger du soleil, du vent et de la poussière des routes, les élégantes, vers 1910, portaient en automobile un voile couvrant leur chapeau à larges bords et descendant sous le menton.

2. Au sens propre, « chirurgien » ; ici, médecin-major ou responsable d'un service sanitaire.

vous veniez vous installer chez nous. Au fait, pourquoi
ne descendez-vous jamais ? vous vivez comme un
yogi..."

« Et patati, et patata ; elle parle de plus en plus vite,
sans me laisser placer un mot. Il y a quelque chose de
nerveux et de distrait dans ces jacasseries, et j'en suis
moi-même déstabilisé. Pourquoi parle-t-elle autant,
sans se présenter, sans retirer son voile ? A-t-elle la
fièvre ? Est-elle malade ? folle ? Ma nervosité monte, car
je ressens le ridicule qu'il y a à me laisser inonder par
son flot de paroles sans desserrer les dents. Enfin elle
reprend son souffle et je peux lui proposer de monter.
Elle fait signe à son boy de rester à sa place, grimpe
l'escalier devant moi.

« "C'est gentil chez vous, dit-elle en jetant un coup
d'œil circulaire à mon cabinet. Oh, les beaux livres !
J'aimerais les lire tous !" Elle s'approche de l'étagère et
passe en revue les titres. Pour la première fois depuis
que nous sommes en présence, elle se tait une minute.

« "Puis-je vous offrir du thé ?"

« Elle ne se retourne pas, elle n'a d'yeux que pour les
titres. "Non merci, docteur... il faut que nous
repartions... Je n'ai pas beaucoup de temps... Ce n'était
qu'une petite excursion, sans plus... Ah, vous avez aussi
Flaubert, j'adore... Magnifique, vraiment magnifique,
L'Éducation sentimentale [1]... Je vois que vous lisez aussi
le français... Vous en savez, des choses !... Ces Alle-
mands, ils apprennent tout à l'école... C'est formidable
de connaître autant de langues !... Le vice-résident ne
jure que par vous, il dit toujours qu'il ne passerait plus
sur le billard avec un autre que vous... Notre brave

---

1. Le détail est assez subtil : devant le rayon Flaubert, l'Anglaise
pourrait mentionner banalement *Madame Bovary* (1857), qui est aussi
l'œuvre la plus connue de Flaubert à l'étranger. Mais elle choisit de
remarquer plutôt *L'Éducation sentimentale* (1869), réputée plus intel-
lectuelle, plus « difficile »... et surtout, où l'histoire d'adultère est un
peu moins centrale et s'achève moins tragiquement. Voir aussi
note 1, p. 97.

surgeon de la côte n'est bon qu'à jouer au bridge...
D'ailleurs vous savez (elle ne se retournait toujours
pas), tout à l'heure je me suis dit que je devrais un jour
vous consulter... et comme nous passions par ici, j'ai
pensé... Mais vous avez sûrement à faire... je reviendrai
une autre fois."

« "Enfin tu abats ton jeu !" ai-je aussitôt pensé. Mais
sans rien laisser paraître, je lui ai assuré que ce serait un
honneur pour moi de la servir, maintenant ou quand
elle voudrait.

« "Oh, rien de grave", dit-elle, se tournant à demi tout
en feuilletant un livre qu'elle avait pris sur l'étagère,
"rien de grave... des bagatelles... problèmes de
femme... vertiges, évanouissements. Ce matin dans un
virage je suis tombée comme une masse, *raide morte* [1]...
il a fallu que le boy me relève sur le siège et aille me
chercher de l'eau... Bon, peut-être aussi que le chauffeur roulait trop vite... vous ne pensez pas, docteur ?

« – Je ne peux en juger ainsi. Êtes-vous sujette à de
tels évanouissements ?

« – Non... ou plutôt si... récemment... tout
récemment... oui... des évanouissements de ce genre,
des nausées." De nouveau elle se plante devant la
bibliothèque, range le livre, en sort un autre et le
feuillette. C'est curieux, cette manie qu'elle a de feuille-
ter avec une telle... une telle nervosité, sans relever les
yeux sous son voile. Exprès, je ne dis rien. Ça me plaît
de la faire attendre. Elle finit par reprendre, avec la
même nonchalance babillarde :

« "N'est-ce pas, docteur, rien d'alarmant ? Pas
d'affection tropicale... rien de dangereux...

« – Il faudrait déjà que je voie si vous avez de la fièvre.
Permettez-moi de prendre votre pouls..."

« Je m'approche. Elle s'écarte un peu.

« "Non, non, je n'ai pas de fièvre... j'en suis sûre, absolument sûre... Je prends moi-même ma température

---

1. En français dans l'original.

chaque jour, depuis... depuis que j'ai ces évanouissements. Jamais de fièvre, toujours 36,4 au mercure, sans
faute. Et mon estomac va bien." »

« J'hésite un instant. Depuis le début, un soupçon me
titille : je sens que cette femme veut quelque chose de
moi, on ne vient pas en pleine jungle pour parler de
Flaubert. Pendant une minute, deux minutes, je la fais
attendre. "Excusez-moi, lui dis-je alors à brûle-pourpoint, puis-je vous poser quelques questions directes ?

« – Certainement, docteur ! vous êtes médecin, après
tout", répond-elle, mais déjà elle me tourne le dos une
fois de plus et joue avec les livres.

« "Vous avez eu des enfants ?

« – Oui, un fils.

« – Et... précédemment... je veux dire à l'époque...
vous avez eu de tels malaises ?

« – Oui."

« Sa voix n'est plus la même. Très claire, très déterminée, sans plus rien de babillard ni de nerveux.

« "Et serait-il possible que vous – excusez ma question – que vous soyez aujourd'hui dans la même
position ?

« – Oui."

« Elle laisse tomber ce mot comme le tranchant d'une
lame. Pas une ligne ne tressaille dans sa silhouette que
j'observe de dos.

« "Dans ce cas, chère madame, le mieux serait que je
vous soumette à un examen général... Voudriez-vous
peut-être... vous donner la peine de passer à côté ?"

« Soudain elle fait volte-face. À travers son voile, je
sens un regard froid et résolu fiché sur moi.

« "Non... ce n'est pas nécessaire... Je suis absolument
sûre de mon état." »

La voix hésite un instant. De nouveau j'entrevois,
dans le noir, le scintillement du verre rempli.

« Oui, donc... mais essayez d'abord de vous représenter un peu la situation. Un homme en train de crever de solitude voit soudain débarquer chez lui une dame, la première Blanche qui entre dans son salon depuis des années... et soudain je sens dans la pièce un air mauvais, un danger. J'en avais le frisson : quelle trempe effarante, chez cette femme qui était entrée en babillant et, tout d'un coup, dégainait sa requête comme un couteau. Car je savais bien ce qu'elle voulait de moi, j'avais déjà compris ; ce n'était pas la première fois qu'on me le demandait, mais les autres s'y prenaient autrement, elles arrivaient honteuses ou suppliantes, avec des larmes et des prières. Chez celle-là, il y avait une trempe... de fer, oui, une trempe virile... Dès le premier instant j'ai senti que cette femme était plus forte que moi... qu'elle pouvait m'imposer sa volonté à sa guise... Mais... mais... en moi aussi soufflait un air mauvais... la révolte du mâle, une sorte de hargne, car... je vous l'ai bien dit... dès le premier instant, avant même de l'avoir vue, j'avais flairé en elle une ennemie.

« D'abord j'ai gardé le silence. Un silence tenace, hargneux. Je sentais qu'elle me regardait à travers son voile, d'un regard direct et impérieux, mais... par tactique... ou même par instinct, j'ai imité son ton babillard et indifférent. J'ai fait mine de ne pas la comprendre, car – comment vous faire sentir ce que j'éprouvais – je voulais la forcer à parler net, je ne voulais pas être l'offreur mais... celui qu'on prie... je voulais qu'elle me prie, parce qu'elle m'agaçait avec ses airs dominateurs... et parce que je savais que chez les femmes, rien n'a plus d'effet sur moi que cette froideur hautaine.

« Donc, je tournais autour du pot : rien d'inquiétant, ces évanouissements étaient dans l'ordre des choses, ils étaient même la promesse, pour ainsi dire, d'une bonne évolution. Je citais des cas de la littérature médicale... je parlais, parlais avec nonchalance et légèreté, traitant toujours l'affaire comme une parfaite banalité et...

attendant toujours qu'elle m'interrompe. Car je savais qu'elle ne le supporterait pas.

« La voilà qui me coupe d'un ton presque vif, avec un mouvement de main comme pour balayer tout ce verbiage lénifiant.

« "Ce n'est pas ce qui me préoccupe, docteur. Quand j'ai eu mon petit garçon, j'étais en meilleure forme... mais aujourd'hui je ne suis plus *all right*... j'ai des problèmes de cœur...

« – Des problèmes de cœur ! me suis-je récrié. Oh, mais je vais m'en assurer tout de suite." Et j'ai fait mine de me lever pour aller prendre mon stéthoscope.

« Mais déjà elle me coupait. Sa voix était devenue tranchante et déterminée comme celle d'un officier donnant ses ordres.

« "Je vous dis que j'ai des problèmes de cœur, docteur, et je vous prie de me croire quand je vous parle. Je n'ai pas beaucoup de temps à perdre en examens ; il me semble que vous pourriez me montrer un peu plus de confiance. Je vous en ai suffisamment témoigné, moi."

« C'était déjà la lutte, le défi ouvert. Et j'ai relevé le défi.

« "La confiance suppose la franchise, une franchise absolue. Parlez clairement, je suis médecin. Et pour commencer, retirez votre voile, asseyez-vous, laissez là les livres et les circonlocutions. On ne vient pas voilée chez le médecin."

« Elle m'a regardé, droite, fière. Un instant elle a hésité. Puis elle s'est assise, a relevé son voile. J'ai vu un visage tel que je l'avais... craint, un visage impénétrable, dur, maître de soi, d'une beauté sans âge, aux yeux gris, des yeux d'Anglaise où tout respirait le calme, et au fond desquels on pouvait néanmoins rêver toute la passion possible. Cette bouche mince, serrée, ne livrait ses secrets que si elle le voulait bien. Pendant une minute nous nous sommes mesurés : son regard était à la fois impérieux et

interrogateur, un regard de fer, d'une cruauté si froide
que, ne le supportant plus, j'ai détourné le mien.

« Ses doigts repliés heurtaient légèrement la table.
Chez elle aussi, il y avait donc de la nervosité. Et soudain elle a dit d'un ton rapide : "Docteur, est-ce que
vous savez, oui ou non, ce que j'attends de vous ?

« – Je crois que oui. Mais soyons tout à fait clairs.
Vous voulez mettre fin à votre état... vous voulez que
je vous délivre de vos évanouissements, de vos nausées
en en... supprimant la cause. C'est bien ça ?

« – Oui."

« Elle avait lâché ce mot comme un couperet.

« "Et vous êtes consciente que les expériences de ce
genre sont risquées... pour les deux parties... ?

« – Oui.

« – Que la loi me le défend ?

« – Dans certaines circonstances ce n'est pas
défendu, mais au contraire recommandé.

« – Oui ; quand il y a une indication médicale.

« – Eh bien, vous la trouverez. Vous êtes médecin."

« Clairs, fixes, ses yeux me regardaient sans ciller.
C'était un ordre, et moi, dans ma faiblesse, je tremblais
d'admiration devant la force dominatrice de cette
volonté démoniaque. Mais je remuais encore, je ne voulais pas montrer qu'elle m'avait déjà écrasé. "Pas trop
vite ! Faire des manières ! L'obliger à me prier", bra-
sillait en moi je ne sais quelle envie sauvage.

« "Cela ne tient pas toujours à la volonté du médecin.
Mais je suis tout prêt à en conférer avec un collègue
de l'hôpital...

« – Je ne veux pas de votre collègue... c'est vous que
je suis venue voir.

« – Puis-je vous demander pourquoi ?"

« Un regard froid.

« "Je n'ai pas d'objection à vous le dire. Eh bien,
parce que vous vivez loin de tout, que vous ne me
connaissez pas ; parce que vous êtes un bon médecin,
et que... – voilà qu'elle hésitait pour la première fois –

vous ne resterez sans doute plus très longtemps par ici,
surtout si vous… si vous pouvez rentrer chez vous avec
une coquette somme."

« J'en avais froid dans le dos. Cette rondeur en affaires
digne d'un businessman me stupéfiait. Jusque-là elle ne
m'avait pas encore adressé le début d'une prière ; mais
elle avait tout pesé depuis longtemps, m'avait fait sur-
veiller à distance avant de venir me débusquer. Je sentais sa volonté démoniaque me pénétrer, mais je
m'insurgeais de toute la force de ma hargne. Une fois
de plus, je me suis contraint à rester détaché, presque
ironique.

« "Et cette coquette somme, vous… vous la mettriez
à ma disposition ?

« – En échange de votre aide, oui, et de votre départ
immédiat.

« – Vous savez que j'y perdrais les droits à ma
pension ?

« – Je vous dédommagerai.

« – Vous êtes très claire… Mais soyez-le plus encore.
Quelle somme avez-vous prévue en guise d'honoraires ?

« – Douze mille gulden, par chèque payable à
Amsterdam."

« Je… tremblais… je tremblais de colère et… oui,
d'admiration. Tout, elle avait tout prévu, la somme et
le mode de paiement qui m'obligeait à partir, elle
m'avait jaugé et acheté sans même me connaître, avait
disposé de moi dans la prescience de sa volonté. J'aurais
voulu la frapper au visage… Mais alors que je me levais,
tremblant – elle aussi s'était levée –, et la regardais dans
les yeux, à la vue de cette bouche close qui refusait de
prier, de ce front hautain qui refusait de se courber, j'ai
ressenti une… une sorte de désir meurtrier. Elle a dû
l'entrevoir, car elle a eu un haussement de sourcils
comme pour chasser un importun : la haine entre nous
était soudain patente. Je savais qu'elle me haïssait parce
qu'elle avait besoin de moi, et je la haïssais parce que…
parce qu'elle refusait de me prier. Dans ce bref instant

de silence, nous nous parlions avec sincérité pour la première fois. Et voilà qu'une pensée est venue me mordre comme un reptile, et je lui ai dit... je lui ai dit...

« Mais attendez, sans quoi vous comprendriez de travers ce que j'ai fait... ce que j'ai dit... il faut d'abord que je vous explique comment... comment cette folle pensée m'était venue... »

Un nouveau tintement de verre dans le noir. Et la voix se fit plus fébrile.

« Ce n'est pas pour me disculper, me justifier, me blanchir... Mais sans cela, vous ne comprendriez pas... Est-ce que j'ai un jour été quelqu'un de bien, je ne sais pas, mais... serviable, je crois que je l'ai toujours été... Là-bas, dans ce cadre sordide, c'était bien la seule joie qu'on avait : celle d'employer le peu de science qu'on s'était fourré dans le crâne pour prolonger une vie, même la plus humble... la joie de jouer au bon Dieu, si vous voulez... Vraiment, c'étaient mes plus beaux moments quand arrivait par exemple un petit niaque, bleu de peur, le pied boursouflé par une morsure de serpent, braillant déjà qu'on ne lui coupe pas la jambe, et que je parvenais à le sauver. Je pouvais faire des heures de route parce qu'une obscure bonne femme avait la fièvre ; et ce que celle-là me demandait, je l'ai fait aussi, y compris là-bas en Europe, à l'hôpital. Mais dans tous ces cas, vous sentiez au moins que la personne avait *besoin* de vous, que vous la sauviez de la mort ou du désespoir, et c'est bien ce dont vous aviez besoin vous-même pour l'aider : sentir qu'on avait besoin de vous.

« Mais cette femme, depuis qu'elle était entrée chez moi comme en passant – je ne sais pas si j'arriverai à me faire comprendre –, elle éveillait en moi, par sa hauteur, une envie de lui résister, elle appelait à la riposte – comment dirais-je ? – tout ce que je réprimais, tout ce que je cachais, tous mes mauvais penchants. Cette

façon de jouer les *ladies*, d'entrer en affaires avec une
froideur distante alors qu'il était ici question de vie et
de mort, elle me rendait fou... Et puis... et puis... on
ne tombe pas enceinte en jouant au golf, n'est-ce pas ?
Je savais... ou plutôt je ne pouvais soudain m'empêcher
de penser, avec une... – c'était cette pensée-là qui était
venue me mordre – avec une netteté terrible, que cette
flegmatique hautaine, cette femme froide qui haussait
des sourcils dédaigneux au-dessus de ses yeux d'acier,
alors que mon regard n'exprimait pourtant que le refus,
voire le rejet... de penser que cette femme, deux ou trois
mois plus tôt, s'était roulée dans un lit avec un homme,
brûlante, nue comme une bête et peut-être gémissante
de plaisir, leurs deux corps serrés comme deux lèvres...
C'était ça, c'était cette pensée cuisante qui m'est venue
quand elle m'a considéré avec la même hauteur, le
même flegme distant qu'un officier anglais... Et là, tout
mon être s'est cabré... J'étais possédé par l'idée de
l'humilier... Dès cet instant j'ai vu, à travers sa robe,
son corps nu... dès cet instant je n'ai plus vécu que dans
la pensée de la posséder, d'arracher un gémissement à
ses lèvres dures, de sentir jouir cette femme froide et
hautaine, comme l'avait fait cet autre homme que je ne
connaissais pas. C'est ça... c'est ça que je voulais vous
expliquer... J'avais beau être tombé bas, je n'ai jamais
tenté de profiter de la situation dans mes fonctions de
médecin... D'ailleurs ici ce n'était pas de la concupiscence, un état de rut, rien de sexuel, je vous assure...
sans quoi je vous l'avouerais... uniquement le désir
intense de me rendre maître d'un orgueil... m'en rendre
maître virilement... Je vous ai dit, je crois, que les
femmes hautaines et d'apparence froide ont toujours eu
barre sur moi... mais là, en plus, j'avais vécu sept ans
sans avoir eu de Blanche, je ne connaissais plus la
résistance... Car les filles d'ici, ces jolies petites bêtes
gazouillantes, elles tremblent de respect quand un
Blanc, un "monsieur" les prend... elles se consument
d'humilité, elles sont toujours offertes, toujours prêtes

à vous servir avec leur petit rire gloussant... mais c'est cette soumission d'esclave qui vous gâche le plaisir... Vous comprenez maintenant, vous comprenez quel séisme c'était pour moi de voir soudain arriver une femme pleine de hauteur et de haine, réservée jusqu'au bout des doigts, à la fois étincelante de mystère et lourde d'une passion récente... une telle femme, pénétrant avec insolence dans la cage d'un tel homme, d'une bête humaine esseulée, affamée derrière ses barreaux... C'est ça... seulement ça que je voulais vous dire, pour que vous compreniez le reste... ce qui va venir. Donc... plein d'un désir mauvais, malade de l'imaginer nue, lascive, abandonnée, je me suis raidi, en quelque sorte, et j'ai feint l'indifférence. J'ai dit froidement : "Douze mille guldens ?... Non, je ne le fais pas pour cette somme-là."

« Elle m'a regardé, un peu pâle. Elle sentait sans doute déjà que ma résistance ne venait pas de la cupidité. Mais elle a quand même dit :

« "Alors, combien ?"

« Je ne me laissais plus prendre à ce ton de froideur. "Jouons franc jeu. Je ne suis pas un homme d'affaires, moi... je ne suis pas le pauvre apothicaire qui, dans *Roméo et Juliette*, vend son poison contre un *corrupted gold*[1]... je suis peut-être le contraire d'un homme d'affaires... ce n'est pas de cette façon que vous arriverez à vos fins.

« – Vous ne le ferez donc pas ?

« – Pas pour de l'argent."

« Pendant un instant, ç'a été le silence entre nous. Un silence si total que, pour la première fois, j'entendais sa respiration.

---

1. Shakespeare, *Roméo et Juliette*, acte V, scène 1. Il n'y est pas question d'« or corrompu » mais plutôt d'or corrupteur, puisque Roméo qualifie ainsi les quarante ducats dont il achète le poison : « Voici ton or, poison pire pour l'âme humaine. » La citation ne vient pas très à propos dans le contexte, et n'en est que plus révélatrice : le médecin y trahit les potentialités tragiques qui sont en lui. D'ailleurs l'histoire s'achèvera aussi, en quelque sorte, sur un double suicide.

« "Mais qu'est-ce que vous pouvez bien souhaiter d'autre ?"

« Là, je ne me suis plus contenu.

« "Je souhaite tout d'abord que vous... que vous ne me parliez pas comme à un épicier, mais comme à un homme. Si vous avez besoin d'aide, ne sortez pas tout de suite votre misérable argent, mais priez-moi... moi, l'être humain que je suis, d'aider l'être humain que vous êtes... Je ne suis pas seulement médecin, je n'ai pas seulement des heures de consultation... j'ai aussi d'autres heures... vous êtes peut-être venue pendant l'une de ces heures-là..."

« Elle se tait. Puis sa bouche se tord très légèrement, frémit et jette :

« "Alors, si je vous priais... vous le feriez ?

« – Déjà en train de négocier, hein ? vous ne me prierez que si je commence par promettre. Mais c'est vous qui allez commencer par me prier ; ensuite je vous répondrai."

« Elle redresse la tête comme un cheval rétif. Avec colère, elle me regarde.

« "Non, je ne vous prierai pas. Plutôt mourir !"

« À mon tour la colère m'a pris, une colère noire, aveugle.

« "Eh bien j'exigerai, puisque vous ne voulez pas me prier. Je n'ai pas besoin d'être plus clair, je pense : vous savez ce que j'attends de vous. Ensuite... ensuite je vous aiderai."

« Pendant un instant elle m'a dévisagé. Puis – oh, je ne puis vous décrire l'horreur de la chose – ses traits se sont tendus et elle... elle a *ri*, tout d'un coup... elle m'a ri au nez avec un indicible mépris... un mépris qui me pulvérisait... et m'enivrait... C'était comme une explosion, ce rire de mépris, tellement soudain, tellement jaillissant, déclenché par une force tellement formidable que... oui, j'aurais pu me jeter à terre et lui baiser les pieds. Il n'a duré qu'une seconde... comme un éclair, et j'en avais tout le corps en feu… Et voilà que déjà elle me tournait le dos et gagnait vite la porte.

« D'instinct j'ai voulu la suivre… pour m'excuser… l'implorer… car désormais j'étais sans force… alors elle s'est retournée encore une fois et elle m'a dit… ou plutôt, elle m'a *ordonné* :

« "Ne vous avisez pas de me suivre ou de remonter ma trace… Vous le regretteriez."

« Et déjà la porte claquait derrière elle avec fracas. »

De nouveau une hésitation. De nouveau un silence, où ne s'entendait que le bruissement semblant venir du flot de lumière que répandait la lune. Et enfin, de nouveau, la voix.

« La porte a claqué… mais je restais cloué sur place… comme hypnotisé par l'ordre reçu… j'ai entendu ma visiteuse descendre les escaliers, refermer la porte d'entrée… j'entendais tout, et mon être entier aspirait à la rejoindre… pour… je ne sais pas… la rappeler, la frapper, ou l'étrangler… mais la rejoindre… la rejoindre… Et pourtant c'était impossible. Mes membres étaient comme paralysés par un choc électrique… j'avais été frappé, frappé aux moelles par l'éclair dominateur de ce regard… Ça ne s'explique pas, ça ne se raconte pas, je sais… c'est peut-être ridicule à entendre, mais je suis resté planté là… plusieurs minutes, peut-être cinq, peut-être dix, avant que mon pied ne s'arrache de terre…

« Mais à peine l'avais-je levé que la fougue, la promptitude me revenaient… En trombe j'ai descendu l'escalier… Elle ne pouvait qu'avoir descendu la route, vers la civilisation… Je fonce à la remise prendre mon vélo, m'aperçois que j'ai oublié la clef, je tire, tire jusqu'à ce que le bambou vole en éclats et cède… et déjà je grimpe en selle et m'élance à sa poursuite… Il faut… il faut que je la rattrape avant qu'elle n'atteigne son automobile… il faut que je lui parle… La route poudroie sur mon passage... Je commence seulement à mesurer combien de temps j'ai dû rester planté là-haut... Et là... parvenu au virage dans la forêt, juste à l'entrée de la station, je la vois qui se hâte à pas raides, accompagnée de son boy... Mais elle a dû me voir, elle aussi, car la voilà qui parle au boy, il reste en arrière, elle continue seule... Que veut-elle faire ? Pourquoi veut-elle être seule ?... Pour me parler sans qu'il entende ?... Hors de moi, je pédale de plus belle quand un obstacle vient subitement me barrer la route... le boy... Mon vélo fait une embardée et je m'étale...

« Je me relève en jurant... D'instinct j'envoie mon poing à la figure de cet imbécile, mais il saute de côté... Je ramasse mon vélo pour remonter en selle... Voilà que le drôle se jette devant moi, attrape mon vélo et dit, dans son anglais lamentable : "*You remain here.*"

« Vous n'avez pas vécu sous les tropiques, vous... Vous ne savez pas l'incroyable insolence que c'est, un sale niaque qui attrape le vélo d'un "monsieur", d'un Blanc, et lui ordonne de rester là. Pour toute réponse je lui assène mon poing en plein visage... Il titube, mais il tient bon... Ses petits yeux poltrons sont écarquillés par une terreur d'esclave... mais il tient toujours le guidon, il tient ferme, le bougre... "*You remain here*", balbutie-t-il encore. Heureusement que je n'avais pas de revolver sur moi, sinon je l'aurais abattu. "Arrière, canaille !" dis-je seulement. Il me fixe, les épaules rentrées, mais ne lâche pas le guidon. Un nouveau coup sur le crâne, il ne lâche toujours pas. Là, je ne me contiens plus... je vois qu'elle est déjà partie, peut-être hors de portée... et j'administre au boy un crochet au menton dans les règles, qui l'envoie pirouetter. Maintenant je peux reprendre mon vélo... mais quand je saute en selle, les roues ne tournent plus... les rayons se sont faussés pendant la bataille... Fébrilement, j'essaie de les redresser... Ça ne va pas... alors je balance la machine sur la chaussée, à côté du drôle qui est en train de se relever tout sanglant et qui m'évite... Et alors – non, vous ne pouvez pas sentir le ridicule pour un Européen, là-bas, devant tout le monde... il faut dire que je ne savais plus ce que je faisais... je n'avais plus qu'une pensée : la rejoindre, la rattraper – donc je me suis mis à *courir*, à courir comme un forcené sur la route bordée de cases où la vermine jaune se pressait stupéfaite pour voir un Blanc, le docteur, en train de *courir*.

« J'étais trempé de sueur en arrivant à la station... Ma première question : Où est l'automobile ?... Partie à l'instant... On me regarde avec stupeur : je dois avoir l'air d'un fou, déboulant là en nage, les mains graisseuses, et lançant ma question avant même de m'être arrêté... Au bas de la rue je vois le nuage blanc des gaz d'échappement... Elle a réussi... réussi, comme tout doit réussir à son esprit calculateur, d'une cruelle dureté.

« Mais la fuite ne l'avancera à rien... Aux tropiques il n'est pas de secrets entre Européens... Tout le monde se connaît, tout fait événement... Son chauffeur n'a pas perdu son heure au bungalow du Gouvernement... en quelques minutes je sais tout... Je sais qui elle est... je sais qu'elle habite sur la côte, à... enfin au chef-lieu, à huit heures de chemin de fer... je sais qu'elle est, euh... l'épouse d'un gros négociant, richissime, une femme du monde, une Anglaise... je sais que son mari est en Amérique depuis cinq mois et doit rentrer dans les jours qui viennent, pour l'emmener en Europe...

« Mais – c'est comme un poison de feu qui me coule dans les veines, quand j'y pense – sa grossesse ne doit dater que de deux ou trois mois...

« Jusqu'ici j'ai pu m'expliquer de façon intelligible... peut-être tout simplement parce que je me comprenais encore moi-même... et pouvais émettre, en médecin, un diagnostic sur mon état [1]. Mais à partir de là, c'est

---

1. Sur cet « état » pathologique dont le médecin peut dresser le diagnostic sans lui donner de nom, voir Présentation, « Krafft-Ebing, ou les démons de la vieille Europe », p. 26-30.

comme une fièvre qui m'a pris... j'ai perdu le contrôle...
c'est-à-dire que je savais très bien à quel point ma
conduite était absurde ; mais je n'avais plus de pouvoir
sur mes actes... je ne me comprenais plus... je courais
droit devant moi, obsédé par mon but... Oh, mais
attendez... je pourrais peut-être quand même vous
donner une idée... Savez-vous ce qu'est l'amok ?

– L'amok ?... Je crois me souvenir... une sorte
d'ivresse chez les Malais [1]...

– C'est plus qu'une ivresse... c'est une frénésie, un
accès de rage comme chez les chiens... de monomanie
meurtrière, aveugle, qui ne peut se comparer à aucune
intoxication éthylique... Moi-même, pendant mon
séjour, j'en ai étudié quelques cas – on est toujours très
perspicace, très scientifique quand il s'agit des autres,
n'est-ce pas ? –, mais sans parvenir à identifier l'horrible
mystère de ses causes... D'une façon ou d'une autre elle
est liée au climat, à cette atmosphère lourde, tendue,
qui pèse sur les nerfs comme un orage jusqu'à les faire
craquer... L'amok, eh bien... l'amok, c'est ça : un
Malais, un brave homme quelconque, sans histoires, est
en train d'avaler sa mixture... il est là, lourd, tranquille,
inerte... comme moi dans mon cabinet avant l'entrée
de cette femme... et soudain il bondit sur ses pieds,
attrape son poignard et fonce dans la rue... tout droit,
toujours tout droit... sans savoir où il va... Ce qui est
sur son chemin, homme ou bête, il le frappe de son
kriss, et l'ivresse du sang ne fait que l'exciter
davantage... Il a l'écume aux lèvres, il hurle comme un
forcené... mais il court, court, court sans plus regarder
ni à droite ni à gauche, glapissant, le kriss ensanglanté,
horrible à voir dans sa course en ligne droite... Les gens

---

1. Le malais se parle bien au-delà des frontières de l'actuelle Malaisie, notamment en Indonésie et à Singapour. C'est pourquoi on pouvait autrefois désigner par « Malaisie » l'ensemble des colonies
anglaises et néerlandaises dans la région ; d'où le titre de la première
traduction française, *Amok ou le Fou de Malaisie* (1927), bien que
l'action se passe à Java ou à Sumatra.

dans les villages savent que rien ne peut retenir un amok... alors ils crient à tue-tête sur son passage, en avertissement : "Amok ! Amok !", et tout le monde s'enfuit... mais lui court sans entendre, sans voir, frappe ce qui est sur son passage... jusqu'à ce qu'on l'abatte comme un chien enragé ou qu'il s'effondre de lui-même, écumant...

« Un jour j'ai vu ça, de la fenêtre de mon bungalow... c'était atroce... mais c'est d'avoir vu ça qui me permet de comprendre ma conduite pendant ces journées-là... car c'est ainsi, exactement ainsi, avec ce terrible regard qui ne voyait ni à droite ni à gauche, c'est dans cet état de possession que je fonçais... à la poursuite de cette femme... Je ne sais plus comment j'ai fait tout ce que j'ai fait, tant les choses se passaient à un rythme vertigineux, follement rapide... Dix minutes, ou cinq, ou même deux... après avoir tout appris de cette femme, son nom, son domicile, sa destinée, je fonçais déjà chez moi sur un vélo emprunté à la hâte, fourrais un costume dans ma valise, cachais de l'argent sur moi et prenais ma voiture [1] pour aller à la station de chemin de fer... sans informer de mon départ le fonctionnaire du district... sans désigner un remplaçant, en laissant la maison ouverte, comme elle était... Les domestiques m'entouraient, les femmes stupéfaites m'interrogeaient, je ne répondais pas, je ne regardais pas en arrière... Je suis allé à la gare, et j'ai pris le premier train qui descendait en ville... Une heure en tout après l'entrée de cette femme dans mon cabinet, j'avais envoyé promener ma vie, et je fonçais dans le vide comme un amok...

« Je fonçais droit devant moi, droit dans le mur... à six heures du soir j'étais arrivé... à six heures dix j'étais chez elle et je me faisais annoncer... C'était... vous le

---

1. On peut s'étonner qu'ayant une voiture, le médecin ne s'en soit pas d'abord servi pour rattraper l'Anglaise. Mais rappelons qu'une voiture à cheval met du temps à s'atteler, et qu'une automobile à l'époque se démarre assez laborieusement, à la manivelle.

comprendrez... la chose la plus absurde, la plus stupide à faire... mais l'amok court les yeux vides, sans voir où... Après quelques minutes le domestique est revenu... poli et froid... Madame était souffrante et ne recevait pas.

« J'ai repassé le seuil en titubant... Pendant une heure encore j'ai rôdé près de la maison, dans l'espoir insensé qu'elle m'enverrait peut-être chercher... puis j'ai pris une chambre à l'Hôtel de la plage, et dans ma chambre deux bouteilles de whisky... Avec ça, et une double dose de véronal, j'ai enfin pu m'endormir... et ce sommeil épais, visqueux a été ma seule pause dans cette course entre vie et mort. »

La cloche du bateau sonna. Deux coups durs et pleins, qui résonnèrent encore, comme des ondes à la surface d'un étang, dans l'air doux et presque immobile, avant d'aller se perdre dans le léger bruissement qui montait opiniâtre de sous la carène, et remplissait les intervalles de ce discours passionné. Mon vis-à-vis dans le noir avait dû sursauter, il ne retrouvait pas le fil. De nouveau j'entendis sa main tâtonner en direction de la bouteille, de nouveau il y eut un petit glouglou. Puis, comme apaisé, il reprit d'une voix plus ferme :

« Les heures que j'ai passées à partir de ce moment, je peux à peine vous les raconter. Je crois maintenant que j'avais la fièvre, en tout cas j'étais dans un état de surexcitation presque frénétique : un amok, je vous le disais. Mais n'oubliez pas qu'on était mardi soir, et que samedi – je l'avais appris entre-temps – son mari arrivait de Yokohama par le paquebot de la P. & O.[1]. Il ne restait donc que trois jours, trois brèves journées pour la convaincre et lui venir en aide. Comprenez donc : je

---

1. La compagnie de navigation britannique « Peninsular & Oriental Steam Navigation Company » existait depuis les années 1840 et reliait le Japon depuis 1859.

savais que je devais l'aider sur-le-champ, et il m'était
impossible de lui dire un mot. Et puis il y avait ce besoin
de me faire pardonner mon attitude ridicule, démente,
qui me talonnait encore plus. Je connaissais le prix de
chaque instant, je savais que c'était une question de vie
ou de mort, et je n'avais aucun moyen de lui adresser ne
serait-ce qu'un chuchotement, un signe : ma poursuite
imbécile l'avait effrayée. C'était... attendez... c'était
comme quand vous courez après quelqu'un pour le
mettre en garde contre un assassin et qu'il vous prend
vous-même pour l'assassin, et court donc de plus belle,
court à sa perte... Elle ne voyait en moi que l'amok qui
la pourchassait pour l'humilier, mais moi – c'était bien
l'absurdité horrible de la situation – je n'y pensais plus
du tout... j'étais complètement anéanti, je ne voulais
plus que l'aider, la servir... j'aurais assassiné, j'aurais
commis un crime pour l'aider... Et elle, elle ne le comprenait pas. Le lendemain, quand je suis retourné chez
elle dès mon réveil, il y avait à sa porte le boy, celui que
j'avais frappé au visage, et en m'apercevant de loin – il
m'attendait sans doute – il a filé à l'intérieur. Peut-être
était-ce seulement pour m'annoncer, discrètement...
peut-être... ah, cette incertitude, comme elle me torture
aujourd'hui... peut-être que tout était déjà prêt pour me
recevoir... mais en voyant ce boy, en me rappelant mon
ignominie, c'est moi qui n'ai pas osé réitérer ma visite...
Mes genoux se dérobaient. Devant le seuil, j'ai fait
demi-tour et je suis reparti... reparti, alors qu'elle
m'attendait peut-être, aussi tourmentée que moi.

« Je ne savais plus que faire, dans cette ville inconnue
où le sol me brûlait sous les pieds... Soudain une idée
m'est venue ; hélant une voiture, je me suis rendu chez
le vice-résident, celui à qui j'étais venu en aide à la station, et je me suis fait annoncer... Il devait y avoir dans
mon aspect un je ne sais quoi d'étrange, car il m'a jeté
un regard presque effrayé, et sa politesse avait quelque
chose d'inquiet... Peut-être qu'il avait déjà reconnu en
moi l'amok... Sans faire ni une ni deux, je lui ai dit que

je sollicitais ma mutation en ville, que je ne tiendrais
plus très longtemps dans mon poste... Il fallait que je
change d'air, tout de suite... Il m'a regardé... je ne saurais vous dire comment... eh bien, comme un médecin
regarde un malade... "Dépression nerveuse, cher docteur, a-t-il dit alors, je ne le comprends que trop. Allons,
cela devrait pouvoir se faire ; mais attendez... mettons
quatre semaines... il faut d'abord que je trouve à vous
remplacer.

« – Je ne peux pas attendre, pas un jour", ai-je
répondu. De nouveau il m'a jeté ce singulier regard.
Et, gravement : "Il le faut pourtant, docteur, nous ne
pouvons pas laisser la station sans médecin. Mais je
vous promets de tout mettre en branle dès aujour-
d'hui." Je restais immobile, les dents serrées : pour la
première fois je sentais crûment que j'étais un stipendié,
un esclave. Déjà je me raidissais pour le braver mais lui,
à sa manière souple, m'a devancé : "Vous êtes sevré de
la société de vos semblables, docteur, et à la longue c'est
malsain. Nous étions tous surpris que vous ne veniez
jamais chez nous, que vous ne preniez jamais de congé.
Il vous aurait fallu plus de compagnie, plus d'animation.
Venez au moins ce soir, nous donnons une réception
au Gouvernement, vous verrez toute la colonie, et j'en
connais qui souhaitent vous rencontrer depuis longtemps, qui m'ont souvent demandé de vos nouvelles et
auraient aimé vous voir ici."

« À ces derniers mots, j'ai eu un haut-le-corps.
Demandé de mes nouvelles ? S'agissait-il d'elle ? J'étais
soudain un autre homme : tout de suite je me suis
confondu en remerciements et je lui ai assuré que je
serais là sans faute. Oh, sans faute, j'y étais. Est-il
besoin de vous dire que, dans mon impatience, je me
suis retrouvé le premier dans la grande salle du bâtiment gouvernemental, entouré de domestiques jaunes
qui, sans un mot, couraient en tout sens sur leurs pieds
nus et – me semblait-il dans mon trouble – riaient de
moi sous cape ? Pendant un quart d'heure, j'ai été le

seul Européen au milieu de tous ces préparatifs silencieux, et tellement livré à moi-même que j'entendais dans mon gousset le tic-tac de ma montre. Enfin sont arrivés quelques fonctionnaires gouvernementaux avec leur famille, puis le gouverneur, qui m'a embarqué dans une longue conversation ; j'ai répondu avec empressement et, je crois, avec brio, jusqu'au moment où... soudain, pris d'une mystérieuse nervosité, j'ai perdu toute aisance et me suis mis à bégayer. Bien que tournant le dos au vestibule, je sentais brusquement qu'elle avait dû entrer, qu'elle était là : d'où me venait cette subite et troublante certitude, je ne saurais dire, mais tout en parlant avec le gouverneur et en percevant le son de ses paroles, je sentais dans mon dos, quelque part, sa présence à elle. Par chance le gouverneur a bientôt clos l'entretien, sans quoi je crois que je me serais soudain retourné sans façons, tant mes nerfs étaient mystérieusement attirés et mon désir, exacerbé. Et à peine m'étais-je retourné que je l'ai vue, à l'endroit précis où inconsciemment je l'avais devinée. En robe de bal jaune qui faisait ressortir ses minces et pures épaules comme un ivoire mat, elle bavardait au milieu d'un groupe. Elle souriait, mais j'avais l'impression que ses traits étaient tirés. Je me suis approché – elle ne me voyait pas, ou ne voulait pas me voir – et j'ai contemplé ce sourire complaisant et poli qui frémissait sur ses lèvres minces. Et de nouveau il m'a enivré, ce sourire, parce que... eh bien, parce que je savais qu'il était une feinte, un fruit de l'art ou de la technique, un chef-d'œuvre de dissimulation. Nous sommes mercredi, ai-je pensé fugitivement, samedi le bateau arrive avec son mari... Comment peut-elle sourire ainsi, avec autant de... d'assurance, d'insouciance, et laisser nonchalamment jouer son éventail entre ses doigts, au lieu de le serrer avec angoisse ? Moi... moi, qui étais étranger à l'affaire... j'en tremblais depuis deux jours... je vivais avec outrance son angoisse, son épouvante... et elle, elle allait au bal et souriait, et souriait...

« Dans mon dos, l'orchestre a attaqué. Le bal commençait. Un officier d'âge mûr l'avait invitée ; sur quelques mots d'excuse elle a laissé le cercle à son bavardage et, en se dirigeant vers l'autre salle au bras de son cavalier, elle est passée devant moi. À ma vue, ses traits se sont crispés ; mais un instant seulement. Ensuite (avant que j'aie tranché si je devais ou non la saluer), elle m'a jeté poliment : "Bonsoir, docteur", comme à une vague connaissance, et déjà elle était passée. Nul n'aurait soupçonné ce que cachait ce regard gris-vert, et moi-même je l'ignorais. Pourquoi me saluer... pourquoi, subitement, faire mine de me reconnaître ?... Était-ce une parade, une tentative de rapprochement, ou seulement l'embarras de la surprise ? Je ne peux vous dire dans quel état cela m'avait mis : j'étais sens dessus dessous, au bord de l'explosion et, pendant que je la voyais valser nonchalamment au bras de l'officier, arborant sur son front une froide insouciance alors que je savais bien qu'elle... comme moi... ne pensait qu'*à ça*... à ça... que nous étions les seuls ici à partager un effroyable secret... et elle qui valsait... pendant ces quelques instants mon angoisse, mon désir et mon admiration sont devenus plus passionnés que jamais. Je ne sais si l'on m'observait alors, mais je devais me trahir par mon maintien bien plus encore qu'elle ne dissimulait : c'est que j'étais incapable de regarder ailleurs, c'était... oui, plus fort que moi, je le buvais, je l'aspirais des yeux, ce visage impénétrable, dans l'espoir de voir tomber un instant le masque. Et elle a dû en être incommodée. En repassant au bras de son cavalier, l'éclair d'une seconde, elle m'a jeté un regard de commandement acerbe, comme pour me chasser : la petite ride de colère hautaine que je lui connaissais déjà se tendait sur son front.

« Mais... mais... je vous l'ai bien dit... j'étais amok, je ne regardais ni à droite ni à gauche. J'ai tout de suite compris que ce regard signifiait : Ne te fais pas remarquer ! Maîtrise-toi ! Je savais qu'elle... comment dire ?... qu'elle comptait sur ma discrétion dans ce lieu public... Je comprenais qu'en rentrant à l'hôtel maintenant, je pouvais être sûr, demain, d'être reçu par elle... mais que temporairement, temporairement elle voulait être soustraite à mes familiarités voyantes, craignant – avec raison – que je ne provoque une scène par ma maladresse... Vous voyez... je savais tout cela, je comprenais l'ordre exprimé par ce regard gris, mais... mais il fallait que je lui parle, c'était plus fort que moi. Je me suis donc approché gauchement du groupe où elle bavardait – je n'y connaissais pourtant que quelques personnes –, je me suis faufilé entre elles, par pur désir de l'entendre parler, tout en rentrant la tête comme un chien battu chaque fois que son regard m'effleurait aussi froidement que si j'avais été l'une des portières de toile derrière mon dos, ou l'air qui les faisait frémir. Mais je restais là, assoiffé d'une parole qu'elle m'adresserait, d'un signe d'intelligence, je restais là comme un paquet, le regard fixe, au milieu des bavardages. Forcément je devais commencer à me faire remarquer, car personne ne m'adressait un mot ; et elle, elle devait souffrir de cette présence risible.

« Combien de temps je serais resté ainsi, je l'ignore... une éternité peut-être... c'est qu'il m'était *impossible* de m'arracher à ce charme. La ténacité de mon emportement, voilà ce qui me paralysait... Mais elle ne le supportait plus... Soudain elle s'est tournée vers les messieurs, avec son incomparable légèreté d'allures, et elle a dit : "Je suis un peu fatiguée... Ce soir, pour une fois, je vais me coucher plus tôt... Bonne nuit !"... et déjà elle passait tout près de moi avec un petit signe de tête mondain... J'ai vu encore la ride en haut de son front, et puis son dos, son dos blanc, froid et nu. Il m'a fallu un moment avant de comprendre qu'elle s'en allait... que je ne la verrais plus, ne lui parlerais plus ce soir, ce dernier soir possible pour la sauver... Un instant encore je suis resté figé, puis j'ai compris... et alors... alors...

« Mais attendez, attendez… sinon vous ne saisirez pas l'absurdité, l'ineptie de mon acte… Il faut d'abord que je vous décrive la pièce… C'était la grande salle du bâtiment gouvernemental, illuminée et presque vide, vu ses proportions… Les couples étaient allés danser, les messieurs étaient allés jouer… Seuls quelques groupes bavardaient dans les coins… La salle était donc vide, chaque mouvement s'y remarquait dans la lumière crue… et cette vaste salle, elle était en train de la traverser, lente et légère, les épaules bien droites, rendant un salut ici et là, avec son port de reine… ce calme altier, glacé, qui me ravissait tant chez elle… Je… j'étais resté à ma place, je vous l'ai bien dit, j'étais comme paralysé, avant de comprendre qu'elle s'en allait… et quand j'ai compris, elle était déjà à l'autre bout de la salle, presque à la porte… Alors… oh, j'ai encore honte aujourd'hui en y repensant… ça m'a pris d'un coup, et j'ai *couru* – vous entendez ? – couru… vraiment *couru*, dans un grand bruit de semelles qui résonnait dans toute la salle… J'entendais mes pas, je voyais tous les regards me suivre avec étonnement… j'aurais pu mourir de honte… Même sur le moment j'avais déjà conscience de ma folie… mais je… je ne pouvais plus reculer… Je l'ai rattrapée à la porte… Elle s'est retournée… ses yeux d'acier gris me transperçaient, ses narines frémissaient de colère… J'allais balbutier quelque chose, lorsque… lorsque… elle s'est mise à *rire*, à gorge déployée… d'un rire clair, tranquille et franc, et elle a dit bien fort… pour que tout le monde entende :

« "Docteur, c'est maintenant que vous pensez à l'ordonnance pour mon petit garçon ?… Ah, ces scientifiques…"

« Près de nous, d'autres se sont mis à rire avec bonhomie… J'ai compris, je titubais, assommé, devant la maîtrise avec laquelle elle avait sauvé la situation… J'ai tiré mon portefeuille et arraché à mon bloc une page blanche, qu'elle a prise nonchalamment, avant de s'en aller… sur un dernier sourire de remerciement froid…

s'en aller... Sur le moment j'étais soulagé... je voyais que, par sa maîtrise, elle avait rattrapé mon impair... mais j'ai su aussi, immédiatement, que tout était perdu pour moi, que cette femme me haïssait pour mon coup de folie... me haïssait plus que la mort... Désormais j'aurais beau venir frapper à sa porte cent fois, mille fois, elle me chasserait comme un chien.

« J'ai retraversé la salle en titubant... Je me rendais compte qu'on me regardait... Il devait y avoir quelque chose d'étrange dans mon allure... Au buffet j'ai bu deux, trois, quatre cognacs coup sur coup... Cela m'a permis de tenir debout... Mes nerfs n'en pouvaient plus, ils étaient comme brisés... Puis je me suis éclipsé par une porte latérale, en me cachant, comme un criminel... Pour un royaume, je n'aurais pas retraversé cette salle où l'écho strident de son rire collait encore aux murs... Je suis parti... je ne saurais plus vous dire où, exactement... dans plusieurs bars, et je me suis saoulé... saoulé comme un homme qui veut noyer en lui toute étincelle de lucidité... mais... je n'arrivais pas à m'étourdir... Le rire restait en moi, aigu, méchant... Ce rire, ce maudit rire, il ne voulait pas se taire... Puis je suis allé traîner dans le port[1]... J'avais laissé mon revolver à l'hôtel, sans quoi je me serais brûlé la cervelle. Je ne pensais à rien d'autre, et c'est d'ailleurs avec cette pensée-là que je suis rentré : le tiroir de gauche, dans l'armoire, où se trouvait mon revolver... cette unique pensée.

« Si je ne me suis pas brûlé la cervelle alors... je vous jure que ce n'était pas par lâcheté... Ç'aurait été une délivrance pour moi d'armer le chien et d'appuyer sur le métal froid de la gâchette... mais, comment vous

---

1. Avec la prostituée rencontrée auparavant dans le port de Rotterdam (et *La Ruelle au clair de lune*, autre nouvelle du recueil *Amok* située dans le quartier chaud d'une ville portuaire française), nous avons là un *topos* réaliste de l'entre-deux-guerres qui perdurera jusque dans le cinéma et la chanson des années 1950 : le port, ses ruelles et ses bas-fonds, où flambent les drames et se brisent les rêves.

expliquer... je me sentais encore un devoir... oui, ce
devoir d'aider, ce maudit devoir... L'idée qu'elle pouvait encore avoir besoin de moi, qu'elle avait besoin de
moi, me rendait fou... car on était déjà jeudi matin, et
samedi... je vous l'ai bien dit... samedi le bateau arrivait, et cette femme, cette femme hautaine et fière ne
survivrait pas au déshonneur face à son mari, face au
monde, je le savais... Ah, quelle torture de penser à ce
temps si précieux absurdement gâché, à ma précipita-
tion insane qui avait compromis toute possibilité de
l'aider en temps utile... J'ai passé des heures, des
heures, je vous jure, à aller et venir dans ma chambre,
à me torturer la cervelle pour trouver un moyen de
l'approcher, de tout réparer, de l'aider... car elle ne me
laisserait plus entrer chez elle, j'en étais bien
conscient... Toutes les fibres de mon être gardaient
encore la mémoire de son rire, et du frémissement de
colère sur ses narines... J'ai passé des heures, mais des
heures à arpenter les trois mètres entre les deux murs
de ma chambre... Déjà c'était l'aube, déjà c'était le
matin...

« Et soudain une impulsion m'a jeté devant la table...
J'ai sorti une liasse de papier à lettre et j'ai commencé
à lui écrire... tout... une lettre geignarde où je la priais
de me pardonner, où je me traitais de fou, de criminel...
où je la conjurais de me faire confiance... Je lui jurais
de quitter dans l'heure la ville, la colonie, le monde, si
elle le voulait... pourvu qu'elle me pardonne et me fasse
confiance, se laisse aider à la dernière heure, à la toute
dernière heure... J'en ai ainsi barbouillé vingt pages...
ce devait être une lettre démente, invraisemblable,
comme écrite en plein délire, car en me levant j'étais
baigné de sueur... Les murs vacillaient, j'ai dû boire un
verre d'eau... Alors seulement j'ai essayé de me relire,
mais dès les premiers mots l'horreur m'a pris... En
tremblant je l'ai pliée, déjà je prenais une enveloppe...
Et soudain, une illumination. Je venais de trouver le
mot juste, le mot décisif. Reprenant ma plume, j'ai

ajouté sur la dernière page : "J'attends ici, à l'Hôtel de la plage, un mot de pardon. Si je n'ai pas de réponse à sept heures, je me brûle la cervelle."

« Puis j'ai pris la lettre, j'ai sonné un boy et je lui ai ordonné d'aller la remettre immédiatement. Enfin, tout était dit... tout ! »

Quelque chose tinta et roula par terre à côté de nous. Dans sa véhémence, il avait renversé la bouteille de whisky ; j'entendis sa main la ramasser à tâtons puis l'empoigner, et à toute volée il la jeta, vide, par-dessus bord. Pendant quelques minutes sa voix se tut, puis il reprit, d'un ton plus fiévreux et plus précipité encore :

« Je ne suis plus croyant... Pour moi il n'y a pas de ciel, ni d'enfer... et s'il y a un enfer, je n'en ai pas peur car il ne peut être pire que les heures que j'ai vécues là, depuis la matinée jusqu'au soir... Imaginez une petite chambre en plein soleil, où monte peu à peu la fournaise de midi... une petite chambre, juste une table, une chaise et un lit... Et sur la table, rien qu'une montre et un revolver, et devant la table un être humain... qui ne fait que fixer la table, fixer la trotteuse de la montre... sans manger, sans boire, sans fumer, sans remuer... qui reste ainsi, reste... vous entendez, jusqu'à trois heures de suite... à fixer le disque blanc du cadran et l'aiguille qui le parcourt avec un tic-tac... Voilà... voilà comment j'ai passé cette journée, à attendre, attendre, attendre... mais attendre comme... comme un amok fait tout ce qu'il fait : aveuglément, animalement, dans son obstination furieuse et rectiligne.

« Oh, je ne décrirai pas ces heures... c'est impossible... Moi-même je ne comprends pas comment on peut vivre ça sans... sans devenir fou... Donc... à trois heures vingt-deux... je le sais très bien puisque je fixais ma montre... voilà qu'on frappe à la porte... Je bondis... comme un tigre sur sa proie, d'un seul élan jusqu'à la porte, je l'ouvre à toute volée... un petit

Chinois apeuré est là qui tient un billet plié et replié ; tandis que je m'en empare, il file et disparaît.

« J'ouvre furieusement le billet, j'essaie de lire... et je n'y arrive pas... Des taches rouges vacillent devant mes yeux... imaginez le supplice : enfin, enfin j'ai un mot d'elle... et voilà que tout tremble et danse devant mes pupilles... Je me passe la tête sous l'eau... Maintenant j'y vois plus clair... Je reprends le billet et je lis : "Trop tard ! Mais attendez à votre hôtel. Je vous ferai peut-être appeler."

« Pas de signature sur ce papier froissé, arraché à je ne sais quel vieux prospectus... Tracées au crayon, les lettres nerveuses, désordonnées, d'une écriture qu'on devine ferme en temps normal... Je ne sais pourquoi ce feuillet m'a bouleversé à ce point... Il en émanait je ne sais quelle épouvante, quel mystère, comme s'il avait été écrit à la sauvette, dans une embrasure de fenêtre ou dans un véhicule en marche... Il y avait dans ce billet furtif une note indescriptible d'angoisse, de hâte, d'horreur qui me glaçait l'âme... et pourtant... et pourtant j'étais heureux : elle m'avait écrit, je ne devais pas mourir encore, elle me permettait de l'aider... peut-être... de l'aider... oh, je me perdais en conjectures et en espérances folles... Cent fois, mille fois j'ai relu, baisé le petit billet... je l'ai scruté pour voir si je n'y avais pas oublié ou sauté un mot... ma rêverie se faisait toujours plus profonde, plus confuse, un état fantastique de sommeil les yeux ouverts... une sorte de paralysie hagarde et néanmoins agitée entre sommeil et veille, qui a duré plusieurs quarts d'heure, peut-être, ou plusieurs heures...

« Soudain j'ai sursauté... N'avait-on pas frappé ?... J'ai retenu mon souffle... une minute, deux minutes de silence complet... Et de nouveau, tout bas, comme un grignotement de souris, des coups discrets mais vigoureux... J'ai bondi, encore mal assuré sur mes jambes, j'ai ouvert à toute volée : dehors il y avait le boy, son boy, celui à qui j'avais envoyé mon poing en

pleine bouche... son teint brun était cendreux, son
regard égaré parlait de malheur... Tout de suite j'ai
entrevu quelque chose d'horrible... "Quoi... qu'est-ce
qui est arrivé ?" ai-je réussi à balbutier. "*Come quickly*",
a-t-il dit, rien d'autre... Tout de suite j'ai dévalé l'escalier, et lui sur mes talons... Un *sado* attendait, une sorte
de petite voiture [1], nous y sommes montés... "Qu'est-
ce qui est arrivé ?" ai-je redemandé... Il me regardait en
tremblant et ne desserrait pas les lèvres... J'ai insisté : il
se taisait, obstinément... J'aurais voulu lui envoyer mon
poing au visage, encore une fois, mais... cette fidélité
de chien me touchait... alors j'ai renoncé à le
questionner... La voiturette fonçait si vite au milieu de
la cohue que les piétons s'écartaient avec des jurons,
elle quittait le quartier européen du littoral pour
s'enfoncer dans la ville basse, dans la cohue criarde de
la ville chinoise [2]... Enfin nous nous sommes engagés
dans une ruelle étroite, loin de tout... Devant une
maison basse, il nous a arrêtés... Elle était sale, cette
maison, et comme tassée sur elle-même, avec sur le
devant une petite boutique éclairée à la chandelle... une
de ces baraques où se cachent les fumeries d'opium ou
les bordels, un nid de voleurs, ou la cave d'un
receleur... Vite le boy a frappé... Par l'entrebâillement
de la porte j'ai entendu chuchoter une voix qui posait
des questions et des questions... Je n'en pouvais plus,
j'ai bondi de mon siège, poussé le battant de la porte...
une vieille Chinoise s'est enfuie avec un petit cri... Le
boy entré à ma suite m'a conduit dans le couloir... il a
tourné le bouton d'une autre porte... une autre porte
donnant sur une pièce sombre, qui sentait l'eau-de-vie

---

1. Le *sado*, du français « dos à dos » (parce que le passager s'y assied
tourné vers l'arrière, dos au cocher), est un véhicule sommaire, à deux
roues, en usage sur l'île de Java.
2. Les Chinois étaient nombreux dans les Indes néerlandaises (ils
formaient en 1895 un dixième de la population de Java). Établis surtout dans les villes côtières, ils y pratiquaient le plus souvent des acti-
vités de commerce.

et le sang caillé... À l'intérieur, des gémissements...
j'ai avancé... »

De nouveau la voix se tut. Et ce qui vint ensuite tenait
plus du sanglot que de la parole.

« J'ai... j'ai avancé... et là... sur une natte mal-
propre... tordue de douleur... une loque gémissante...
elle...

« Je ne distinguais pas son visage dans l'obscurité...
Mes yeux n'étaient pas encore habitués... À tâtons,
donc, j'ai pris sa main... chaude... brûlante... De la
fièvre, beaucoup de fièvre... et j'ai frémi... J'avais déjà
compris... elle s'était réfugiée ici pour m'échapper...
s'était laissé mutiler par je ne sais quelle souillon chinoise, pour la seule raison qu'elle l'espérait moins
bavarde... laissé massacrer par une affreuse sorcière,
plutôt que de me faire confiance... pour la seule raison
que moi, insensé... je n'avais pas épargné sa fierté, je ne
l'avais pas aidée tout de suite... parce qu'elle avait
moins peur de la mort que de moi...

« J'ai crié qu'on me donne de la lumière. Le boy a
bondi : l'abominable Chinoise, les mains tremblantes, a
apporté une lampe à pétrole qui fumait... j'ai dû me
retenir pour ne pas sauter à la gorge de cette canaille
jaune... ils ont posé la lampe sur la table... Et soudain...
soudain tout s'est retiré de moi, hébétude, colère, toute
cette sanie de passion accumulée... je n'étais plus qu'un
médecin, un homme d'assistance, d'intuition, de
savoir... je m'oubliais... je luttais lucidement contre
l'effroyable... Ce corps nu que j'avais désiré en rêve, je
ne le percevais plus que... comment dire... en tant que
matière, en tant qu'organisme... Pour moi ce n'était
plus elle, mais seulement la vie qui résistait à la mort,
l'être humain qui se tordait dans d'atroces
souffrances... Son sang, le flot brûlant de son sang sacré
m'inondait les mains, mais je n'en éprouvais ni volupté

ni horreur... je n'étais que médecin... je ne voyais que pathologie... et j'ai vu...

« Et j'ai vu aussitôt que tout était perdu, à moins d'un miracle... Elle avait été blessée par cette main d'une maladresse criminelle, et se vidait de son sang... et dans cette tanière puante je n'avais rien pour arrêter l'hémorragie, même pas de l'eau pure... Tout ce que je touchais était collant de saleté...

« "Il faut immédiatement l'emmener à l'hôpital", ai-je dit. Mais à peine avais-je parlé que le corps supplicié s'est redressé convulsivement. "Non... non... plutôt mourir... Que personne ne... ne sache... Rentrer... rentrer..."

« J'ai compris... ce n'était plus que pour son secret, pour son honneur qu'elle luttait... non pour sa vie... Et j'ai obéi... Le boy est allé chercher une civière... nous l'y avons couchée... et c'est ainsi, comme un cadavre déjà, inerte et fiévreuse... qu'en pleine nuit nous l'avons transportée... chez elle... en éludant les questions effrayées des domestiques... Comme des voleurs, nous l'avons transportée dans sa chambre et nous avons verrouillé les portes... Alors... alors le combat a commencé, le long combat contre la mort... »

Soudain une main se planta dans mon bras, au point que je criai presque d'effroi et de douleur. Dans le noir, j'avais brusquement tout près de moi cette face grimaçante qui, d'emportement, me montrait le blanc de ses dents, cette face où les verres de lunettes reflétaient la lueur blême de la lune tels deux énormes yeux de chat. Il ne parlait plus : il criait, secoué de colère, comme une bête hurle à la mort.

« Vous qui êtes étranger à cette histoire, vous qui parcourez le monde tranquillement assis sur une chaise longue, vous savez ce que c'est, un être humain qui meurt ? Vous avez déjà assisté à ça, vous avez vu le corps qui s'arque, les ongles bleuâtres qui griffent le vide, la gorge qui râle, chaque membre qui résiste, chaque doigt qui se relève pour conjurer l'effroyable, l'œil qui s'écarquille dans une terreur sans nom ? Vous avez déjà vécu ça, monsieur le flâneur, monsieur le globe-trotter, vous qui parlez d'aider comme d'un devoir ? Moi, je l'ai souvent vu en tant que médecin, comme... comme un cas clinique, comme un fait... un sujet d'observation, en quelque sorte ; mais le *vivre*, ça ne m'est arrivé qu'une seule fois, vivre la mort dans ma chair, ça ne m'est arrivé que cette nuit-là... cette nuit d'horreur où je restai à me serrer le front entre deux poings pour rassembler mon savoir, pour trouver quelque chose, inventer quelque chose contre le sang qui coulait et coulait, contre la fièvre qui la consumait sous mes yeux... contre la mort qui se rapprochait peu à peu et que je ne pouvais éloigner de son chevet. Vous comprenez ce que ça fait, d'être médecin, de tout savoir sur les maladies – d'avoir le devoir d'aider, comme vous disiez si bien – et de rester impuissant à côté d'une mourante, sachant, sans rien pouvoir... sachant surtout cette chose horrible : qu'on ne peut rien faire pour l'aider, quand même on s'ouvrirait toutes les veines du corps... de voir un corps aimé se vider lamentablement de son sang dans d'affreuses douleurs, de sentir un pouls qui à la fois galope et s'affaiblit... qui vous fond entre les doigts... d'être médecin et de ne rien savoir, rien, rien, rien... de rester là à balbutier je ne sais quelle prière comme une vieille grenouille de bénitier, avant de montrer le poing à un triste Dieu dont on sait qu'il n'existe pas... Vous comprenez ? Vous comprenez ?... Moi... moi, ce que je ne comprends pas, c'est comment on peut ne pas mourir soi-même, pendant de tels instants... se réveiller d'un somme, le lendemain, et se brosser les dents, nouer sa cravate... continuer de vivre, après avoir vécu dans sa chair ces sensations... après avoir senti ce souffle, senti cet être, le premier pour qui je luttais et combattais, que j'aurais voulu retenir de toutes les forces de mon âme... s'en aller, en dessous

de moi... je ne sais où, de plus en plus vite, minute
après minute, et moi qui, dans mon cerveau en fièvre,
ne trouvais rien à faire pour retenir cet être, ce seul
être...

« Et pour mettre un comble à mon tourment, il y avait
encore autre chose... Pendant que je la veillais – je lui
avais donné de la morphine pour atténuer ses souffrances, et je la regardais reposer, les joues brûlantes,
brûlantes et blêmes – oui... pendant que je la veillais, je
sentais toujours dans mon dos deux yeux me fixer,
pleins d'une attente terrible... C'était le boy qui,
accroupi, murmurait tout bas je ne sais quelles prières...
Quand nos regards se rencontraient, le sien... non, je
ne puis le décrire... le sien, son regard de bon chien
prenait quelque chose de si implorant, de si reconnaissant, et il tendait les mains vers moi comme pour me
conjurer de la sauver... vous comprenez ? comme si
j'étais un dieu... moi, moi, si faible et impuissant, moi
qui savais que tout était perdu... que j'étais aussi inutile
ici qu'une fourmi s'agitant par terre... Ah, le tourment
qu'était ce regard, cet espoir fanatique et animal en mon
art... j'aurais pu lui crier dessus et lui donner des coups
de pied, tant il me faisait mal... et pourtant je nous sentais liés par notre amour pour elle... par le secret...
Comme une bête aux aguets, ramassé sur lui-même, il
se tenait derrière moi... Dès que je réclamais un objet,
il bondissait sur ses pieds nus et, sans bruit, me l'appor-
tait en tremblant... plein d'espoir, comme si de là allait
enfin venir l'aide... le salut... Je sais qu'il aurait pu
s'entailler les veines, pour l'aider... Telle était cette
femme, tel était son pouvoir sur les êtres... et moi... je
n'avais même pas le pouvoir de sauver une goutte de
son sang... Oh, cette nuit, cette horrible nuit, cette
interminable nuit entre la vie et la mort !

« Vers le matin elle a repris conscience... ouvert les
yeux... ils n'étaient plus hautains ni froids maintenant...
Humides d'un éclat fiévreux, ils ont parcouru la pièce
comme s'ils ne la reconnaissaient pas... Puis ils se sont

portés sur moi : elle a paru réfléchir, chercher mon
visage dans sa mémoire... et soudain... je l'ai bien vu...
elle s'est souvenue... car un sursaut, un recul... quelque
chose de... d'hostile, d'indigné a tendu ses traits... Elle
a travaillé des bras comme pour fuir... me fuir, me fuir,
moi... J'ai vu qu'elle pensait à *ça*... à l'heure passée
dans mon cabinet... Mais ensuite elle s'est ravisée... elle
m'a regardé plus calmement, elle a respiré fort... je sentais qu'elle voulait parler, dire quelque chose... De nouveau les mains se sont raidies... elle a voulu se soulever,
mais elle était trop faible... Je l'ai calmée, je me suis
penché sur elle... alors elle m'a regardé, d'un long
regard tourmenté... ses lèvres ont frémi... et dans un
dernier filet de voix : "Personne ne saura ?... Personne ?

« – Personne, ai-je dit de toute ma force de convic-
tion, je vous le promets."

« Mais son œil restait inquiet... D'une lèvre fiévreuse,
très indistinctement, elle a articulé :

« "Jurez-moi... que personne... jurez."

« J'ai levé la main comme pour prêter serment. Elle
m'a regardé... d'un... d'un regard indescriptible... il
était doux, ce regard, chaud, reconnaissant... oui, vraiment, vraiment reconnaissant... Elle a voulu ajouter
quelque chose, mais elle ne pouvait plus. Longtemps
elle est restée les yeux clos, épuisée par l'effort. Puis
a commencé l'effroyable... l'effroyable... pendant toute
une heure, durement, elle a encore lutté : ce n'est qu'au
matin que tout s'est fini... »

Il se tut longuement. Je m'en rendis compte lorsque
la cloche de l'entrepont sonna dans le silence, un, deux,
trois coups durs : trois heures. Le clair de lune pâlissait
mais une autre clarté jaune tremblait déjà dans l'air,
encore incertaine, et quelquefois passait un vent léger
comme une brise. Une demi-heure encore, une heure et
il ferait jour, ces horreurs se dissiperaient dans la pleine
lumière. Je distinguais mieux les traits de l'homme,

maintenant que les ombres ne tombaient plus aussi denses et noires sur notre recoin : il avait ôté sa casquette, et sous son crâne luisant, son visage tourmenté n'en paraissait que plus farouche. Mais déjà les verres étincelants revenaient vers moi, il se ressaisit, sa voix prit un ton de mordante ironie.

« Pour elle, tout était fini ; mais pas pour moi. J'étais seul en compagnie du corps ; mais seul dans une maison inconnue, seul dans une ville qui n'admettait pas de secrets, et moi... j'avais son secret à préserver... Oui, représentez-vous bien la situation : une femme appartenant à l'élite de la colonie, en parfaite santé, qui, la veille encore, a dansé au bal du Gouvernement, se trouve soudain morte dans son lit... Un médecin inconnu est auprès d'elle, un médecin que le domestique prétend avoir appelé... Personne dans la maison ne sait quand il est arrivé, ni d'où... On l'a ramenée pendant la nuit sur une civière, puis on a fermé les portes... et au matin, la voilà morte... Alors seulement on a appelé les domestiques, et soudain la maison retentit de cris... Bientôt les voisins sont au courant, la ville entière... et il n'y a là qu'un homme pour tout expliquer... moi, l'inconnu, le médecin d'une station perdue... Agréable situation, n'est-ce pas ?...

« Je savais ce qui m'attendait. Heureusement j'avais avec moi le boy, ce brave garçon qui lisait le moindre de mes battements de cil : même cette brute de niaque comprenait qu'il y avait encore un combat à livrer. Je lui avais seulement dit : "Madame veut que personne ne sache ce qui s'est passé." Il m'a regardé dans les yeux, de son regard humide de chien où se lisait pourtant la résolution, et s'est contenté de répondre : "Yes, sir." Mais il a lavé les traces de sang par terre, a tout remis en ordre... Et sa résolution m'a rendu la mienne.

« Jamais de ma vie, je le sais, je n'ai connu ni ne connaîtrai un tel sursaut d'énergie. Quand on a tout perdu, on lutte pour ce qui reste comme un désespéré : et ce qui restait, c'étaient ses dernières volontés, le secret à garder. J'ai reçu les gens avec calme, leur ai servi à tous la même histoire : le boy, qu'elle avait envoyé chercher le médecin, était tombé en chemin sur moi. Mais pendant que je parlais avec ce calme apparent, je ne faisais qu'attendre, attendre l'instant critique... la constatation du décès, qui devait avoir lieu avant que nous puissions sceller le cercueil, et son secret avec elle... N'oubliez pas que nous étions jeudi, et que samedi son mari arrivait...

« À neuf heures, enfin, j'ai entendu annoncer le médecin de l'administration. Je l'avais fait appeler : c'était mon supérieur hiérarchique et aussi mon rival, celui dont elle avait parlé avec tant de mépris et qui, visiblement, avait déjà eu vent de ma demande de mutation. Au premier regard je l'ai senti : il m'était hostile. Mais cela n'a fait que me galvaniser.

« Dans l'antichambre il demandait déjà : "Quand Mme *** est-elle morte ?

« – À six heures du matin.

« – Quand vous a-t-elle envoyé chercher ?

« – À onze heures du soir.

« – Vous saviez que j'étais son médecin ?

« – Oui, mais il y avait urgence... et puis... la défunte m'avait expressément demandé. Elle avait défendu de faire appel à quelqu'un d'autre."

« Il m'a fixé : une rougeur montait sur ses joues pâles et adipeuses, je le sentais ulcéré. Mais c'est ce dont j'avais besoin : toute mon énergie tendait à un dénouement rapide car mes nerfs, je le sentais, ne tiendraient plus longtemps. Bien décidé à se montrer hostile, il a laissé tomber : "Si vous pensez déjà pouvoir vous passer de moi, il est pourtant de mon devoir officiel de constater le décès et... ce qui l'a provoqué."

« Sans répondre, je lui ai cédé le passage. Puis je suis revenu vers la porte, je l'ai fermée, j'ai posé la clef sur la table. Étonné, il a haussé les sourcils : "Qu'est-ce que ça signifie ?"

« Avec calme, je me suis planté en face de lui :

« "Il ne s'agit pas de constater la cause du décès mais... d'en trouver une autre. Cette femme m'a fait appeler pour... pour soigner les conséquences d'une intervention malheureuse... Je n'ai pu la sauver, mais je lui ai promis de sauver son honneur, et je le ferai. Et vous allez m'aider !"

« Ses yeux s'arrondissaient de stupeur. "Vous ne voudriez quand même pas, a-t-il balbutié, que moi, médecin de l'administration, je couvre ici un crime ?

« – Si, c'est bien ce que je veux, je n'ai pas d'autre choix.

« – Pour votre crime, il faudrait que moi, je...

« – Je vous dis que je n'ai pas touché cette femme, sans quoi... sans quoi vous ne m'auriez pas en face de vous, je me serais déjà supprimé depuis longtemps. Sa faute – si vous tenez à ce terme –, elle l'a déjà expiée, le monde n'a rien à en savoir. Et je ne tolérerai pas que son honneur soit à présent sali sans nécessité."

« Mon ton résolu ne faisait que l'irriter davantage. "Vous ne tolérerez pas... oh... c'est vrai que vous êtes mon supérieur... ou croyez l'être déjà... Non, mais essayez un peu de me dire ce que je dois faire ! J'ai tout de suite pensé qu'il y avait du louche dans cette histoire, pour qu'on soit allé vous chercher dans votre trou... Joli début dans votre poste, ma foi, joli échantillon de vos talents... Mais maintenant c'est moi qui examine, et mettez-vous bien dans la tête qu'un rapport signé de ma main sera véridique. Je ne souscrirai pas à un mensonge."

« J'étais très calme.

« "Cette fois, vous devrez bien. Car vous ne quitterez pas la pièce avant."

« J'avais plongé la main dans ma poche ; je n'avais pas mon arme sur moi. Mais il a tressailli. J'ai fait un pas vers lui et je l'ai regardé.

« "Écoutez, je vais vous dire une chose... pour éviter d'en venir à des extrémités. Je n'attache aucun prix à ma vie... ni à celle d'un autre, oui, j'en suis là... Tout ce qui m'importe, c'est de tenir ma promesse et de faire en sorte que les circonstances de cette mort restent secrètes... Écoutez : si vous paraphez le certificat en mentionnant que cette femme est morte de... enfin d'un accident quelconque, je vous jure sur l'honneur de quitter la ville et les Indes dans le courant de la semaine... et, si vous l'exigez, de prendre mon revolver et de me tuer dès que le cercueil sera en terre et que j'aurai la certitude que personne... vous entendez : *personne* ne pourra plus faire d'enquête. Cela devrait vous suffire... cela *doit* vous suffire."

« Il fallait que ma voix ait quelque chose de menaçant, d'inquiétant car, en me rapprochant machinalement, je l'ai vu reculer avec l'épouvante hagarde de... eh bien, de ceux qui fuient devant l'amok dans sa course forcenée, devant son kriss brandi... Soudain c'était un autre homme... un homme pliant l'échine, paralysé dans ses mouvements... son inflexibilité cédait. Il a encore murmuré, pour la forme : "Ce serait bien la première fois de ma vie que je signerais un faux certificat... mais enfin une solution devrait se trouver... Eh, on sait ce que c'est... Mais je ne pouvais quand même pas, tout de go...

« – Bien sûr que vous ne pouviez pas", ai-je renchéri – (Vite ! Vite ! tictaquait une horloge à mes tempes) – "mais maintenant que vous savez que vous ne feriez qu'offenser un vivant et souiller la mémoire d'une morte, sans doute vous n'hésiterez plus."

« Il a hoché la tête. Nous nous sommes rapprochés de la table. En quelques minutes l'attestation était écrite (elle allait par la suite être reproduite dans la presse, et décrivait de manière plausible un arrêt cardiaque). Alors il s'est mis debout, m'a jeté un coup d'œil :

« "Vous partez dans la semaine, n'est-ce pas ?

« – Ma parole d'honneur."

« Nouveau coup d'œil. Il essayait visiblement de se donner l'air sévère et pragmatique. "Je vais tout de suite m'occuper du cercueil", a-t-il dit pour masquer son embarras. Mais – qu'y avait-il en moi qui me donnait un air... si effrayant... un tel air de souffrance... ? – soudain il m'a pris la main et l'a serrée avec une brusque cordialité. "Bon rétablissement", a-t-il dit ; je ne savais pas de quoi il parlait. Étais-je malade ? Étais-je... fou ? Je l'ai raccompagné jusqu'à la porte, j'ai ouvert : mais c'est avec mes dernières forces que j'ai refermé derrière lui. Ensuite le tic-tac a repris à mes tempes, tout vacillait et tournoyait : au pied du lit, je me suis écroulé... comme... comme l'amok en fin de course tombe sans connaissance, les nerfs brisés. »

De nouveau il marqua une pause. J'avais un peu la chair de poule : était-ce le premier frisson du vent matinal qui parcourait le bateau de son sifflement léger ? Mais le visage tourmenté – déjà à demi éclairé par les lueurs de l'aube – se crispa de nouveau :

« Combien de temps je suis resté couché sur cette natte, je l'ignore. Puis j'ai senti un contact. Je me suis redressé. C'était le boy qui, hésitant, se tenait humblement devant moi et cherchait mon regard avec nervosité.

« "Il y a quelqu'un qui veut entrer... qui veut la voir...

« – Personne ne doit entrer.

« – Oui... mais..."

« Ses yeux s'affolaient. Il avait quelque chose à dire et n'osait pas. Cette bête fidèle, pour une raison ou pour une autre, était à la torture.

« "Qui est-ce ?"

« Il m'a regardé en tremblant, comme s'il craignait un coup. Puis il a dit... il a cité un nom – d'où vient soudain à un être aussi primitif une telle clairvoyance, comment se peut-il qu'en certaines heures, des brutes épaisses trouvent en elles ce tact indescriptible ? – et il a dit... d'une toute petite voix...

« "C'est *lui*."

« J'ai sursauté, aussitôt j'ai compris, aussitôt j'ai ressenti une bouillante impatience de voir cet inconnu. Car, n'est-ce pas étrange ? au milieu de ce tourment, dans cette fièvre de désir, de peur et de hâte, je l'avais complètement oublié, "lui"... j'avais oublié qu'il y avait aussi un homme dans l'affaire... celui qu'avait aimé cette femme, à qui elle avait passionnément donné ce qu'elle m'avait refusé, à moi... Douze heures ou vingt-quatre heures plus tôt, j'aurais haï cet homme, j'aurais pu le tailler en pièces... À présent... je ne puis vous dire, non, combien je brûlais de le voir... de... l'aimer, parce qu'elle l'avait aimé.

« Je n'ai fait qu'un bond jusqu'à la porte. Jeune, tout jeune, un officier blond s'y tenait, très gauche, très mince, très pâle. On aurait dit un enfant, si... si touchant de jeunesse... et dès l'abord j'ai été bouleversé au-delà de toute expression par ses efforts pour jouer l'homme, pour faire bonne figure... cacher son émotion... J'ai vu aussitôt que ses mains tremblaient en se portant à son képi... J'aurais voulu le serrer sur mon cœur... parce qu'il était tout comme devait être, selon mes vœux, l'homme qui avait possédé cette femme... pas un séducteur hautain... non, un enfant presque, un être pur et délicat, à qui elle s'était donnée.

« Il se tenait devant moi, ce jouvenceau, on ne peut plus mal à l'aise. Mon regard avide, l'empressement avec lequel j'avais bondi au-devant de lui ne faisaient que le troubler davantage. La petite moustache au-dessus de sa lèvre avait des soubresauts qui le trahissaient... Ce jeune officier, cet enfant devait se faire violence pour ne pas éclater en sanglots.

« "Excusez-moi, a-t-il fini par dire. J'aurais aimé voir... revoir Mme ***."

« D'instinct, sans que ma volonté y soit pour rien, j'ai passé mon bras sur les épaules de cet inconnu et je l'ai guidé comme on guide un malade. Il m'a jeté, surpris, un regard infiniment chaleureux et reconnaissant... Il y avait déjà entre nous l'obscure conscience d'un destin

partagé... Nous sommes allés au chevet de la morte...
Elle était là, blanche dans ses linges blancs ; je sentais
que ma proximité était pour lui une douleur de plus...
alors je me suis reculé pour le laisser seul avec elle. Il
s'est approché lentement, d'un pas... si saccadé, si
traînant... je voyais, à la ligne de ses épaules, l'émotion
qui le retournait, le déchirait... Il marchait comme...
comme un homme marche contre un terrible ouragan...
Et soudain il s'est effondré à genoux, devant le lit... tout
comme moi un peu plus tôt.

« J'ai couru le relever et je l'ai guidé jusqu'à un fauteuil. Il sanglotait maintenant, sans honte. Je ne trouvais
rien à dire ; je me bornais, de la main, à caresser machinalement ses cheveux blonds d'une douceur enfantine.
Il m'a saisi la main... d'un geste très délicat et pourtant
plein de crainte... et brusquement j'ai senti son regard
peser sur moi... "Dites-moi la vérité, docteur, a-t-il balbutié, est-ce qu'elle a mis fin à ses jours ?

« – Non.

« – Et y a-t-il... enfin... quelqu'un est-il responsable
de sa mort ?

« – Non", ai-je dit encore, réprimant le cri qui montait dans ma gorge : "Oui, moi ! moi ! moi !... Et toi !...
Nous deux ! Et son obstination, sa funeste obstination !" Mais je me suis contenu. J'ai répété une dernière
fois : "Non... il n'y a pas de responsable... c'était la
fatalité [1] !

« – Je n'arrive pas à le croire, a-t-il gémi, je n'arrive
pas à le croire. Avant-hier encore elle était au bal, elle
souriait, elle me faisait signe de la main. Comment est-
ce possible, comment est-ce donc arrivé ?"

« Je lui ai raconté un long mensonge. Même à lui, je
n'ai pas révélé le secret. Pendant toutes ces journées
nous avons parlé comme deux frères, communiant dans

---

1. Nous savons déjà le médecin grand lecteur de Flaubert. Ici il
cite quasiment le mot (assez veule) dont Charles Bovary dédouane
Rodolphe de la mort de sa femme : « C'est la faute de la fatalité ! »

la grâce du sentiment qui nous liait... et que nous ne nous sommes pas avoué ; mais nous sentions chacun que pour l'autre aussi, toute l'existence tournait autour de cette femme... Parfois cela m'étouffait, cela me brûlait les lèvres, et je serrais les dents ; jamais il n'a su qu'elle portait un enfant de lui... que j'aurais dû tuer cet enfant dont il était le père, et qu'elle l'avait entraîné avec elle dans l'abîme. Et pourtant nous ne parlions que d'elle, pendant ces journées où je me cachais chez lui... car – j'avais oublié de vous le dire – on me cherchait... Le mari était arrivé après la fermeture du cercueil... il ne voulait pas croire le résultat de l'expertise... toutes sortes de rumeurs couraient... et il me cherchait... Mais je n'aurais pas supporté de le voir, cet homme dont je savais qu'il l'avait fait souffrir... je me cachais... pendant quatre jours je n'ai pas quitté l'immeuble, ni l'un ni l'autre nous n'avons quitté l'appartement... Son amant m'avait pris une place de paquebot sous un faux nom, pour que je puisse m'enfuir... Comme un voleur je me suis glissé de nuit sur le pont, pour ne pas être reconnu... Tout, j'ai laissé tout ce que je possède... ma maison, avec tout le travail de ces sept années, tous mes biens, tout est là, à la portée de qui veut... et ces messieurs du Gouvernement m'ont sans doute déjà rayé des cadres, pour avoir quitté mon poste sans permission... Mais je ne pouvais plus vivre dans cette maison, dans cette ville... dans ce monde où tout me rappelle son souvenir... comme un voleur j'ai pris la fuite, de nuit... pour me soustraire à elle... pour oublier... Mais... en arrivant à bord... la nuit... à minuit... mon ami m'accompagnait... on... on hissait justement un objet au palan... un objet noir, rectangulaire... son cercueil... vous entendez ? son cercueil... Elle m'a poursuivi jusqu'ici, comme je l'avais poursuivie... et j'ai dû assister à la scène en jouant le détachement, car lui, le mari, était là aussi... Il accompagne le cercueil en Angleterre... peut-être pour y faire pratiquer une autopsie... Il l'a reprise... maintenant elle est de nouveau à lui... et non plus à nous... à nous deux. Mais moi, je suis encore là... je serai là jusqu'à la dernière heure... Jamais il ne saura, jamais il ne doit savoir... Je me débrouillerai pour défendre le secret de cette femme contre toute tentative... contre ce misérable qui l'a acculée à mourir... Il ne saura rien, rien... Elle m'a fait le dépositaire de son secret, le seul dépositaire...

« Vous comprenez maintenant... vous comprenez... pourquoi je ne supporte pas de voir les autres... d'entendre leurs rires... quand ils flirtent et qu'ils s'accouplent... car, là en bas... dans la soute, entre des ballots de thé et des noix du Brésil, on a casé son cercueil... Je ne peux pas entrer, le local est fermé à clef... mais je le sais par tous mes sens, je le sais à chaque seconde... malgré leurs valses et leurs tangos... c'est bête, n'est-ce pas ? alors que cet océan charrie des millions de morts, alors que chaque pied de terre où l'on marche recèle un cadavre en décomposition... mais je ne supporte pas, je ne supporte pas leurs bals masqués, leurs rires lubriques... Cette morte-là, je sens sa présence, et je sais ce qu'elle veut de moi... je sais que j'ai encore un devoir à accomplir... je n'en ai pas fini... son secret n'est pas encore à l'abri... je ne suis pas encore quitte... »

De la maîtresse-partie [1] nous parvenaient des pas traînants, des bruits d'eau : les hommes d'équipage commençaient à nettoyer le pont. Le médecin sursauta, comme pris en faute : son visage crispé reçut une expression d'angoisse. Il se leva en murmurant : « Je m'en vais... je m'en vais. » Il était affreux à voir : le regard ravagé, les yeux bouffis, rouges d'alcool ou de larmes. Il éluda mes marques de sollicitude : à son attitude tassée, je sentais une honte, une honte infinie de

---

1. Toute la partie centrale du bateau, entre l'étrave et l'étambot.

s'être livré à moi, à la face de la nuit. Involontairement
je lui dis :

« Puis-je peut-être venir vous voir dans votre cabine,
cet après-midi ?... »

Il me regarda ; un rictus cynique tiraillait ses lèvres,
une note mauvaise heurtait et déformait chaque mot.

« Ha, ha... Votre fameux devoir d'aider... ha, ha...
Vous avez bien réussi à me tirer les vers du nez, avec
cette maxime. Mais non, mon cher monsieur, merci
bien. N'allez pas croire que je me sente soulagé depuis
que je me suis ouvert les entrailles devant vous, au point
de vous laisser voir mes matières fécales. Ma vie est
fichue, personne n'en recollera les morceaux... J'ai
perdu ma peine à servir le vénérable gouvernement
hollandais... Ma pension m'a filé sous le nez, je rentre
en Europe plus pauvre qu'un chien... un chien gémis-
sant après un cercueil... L'amok ne court jamais loin, à
la fin il se trouve bien quelqu'un pour l'abattre, et
j'espère y être bientôt, à la fin... Non, merci, mon cher
monsieur, je ne veux pas de votre charitable visite... J'ai
déjà dans ma cabine des compagnons... quelques
bonnes vieilles bouteilles de whisky, qui me consolent
parfois, et puis mon ami d'autrefois, à qui je n'ai mal-
heureusement pas fait appel à temps, mon brave
browning... au fond c'est une meilleure aide que tous
les bavardages... De grâce, ne vous donnez pas tant de
peine... Le seul droit humain qui nous reste, c'est
quand même de crever à notre guise... sans avoir à subir
l'aide d'autrui. »

Il me jeta un dernier regard railleur... provocant
même, mais, je le sentais bien, ce n'était que de la
honte, une honte sans bornes. Puis il rentra les épaules,
me tourna le dos sans saluer et, d'une démarche singu-
lièrement penchée et traînante, traversa le gaillard
d'avant, déjà en pleine lumière, en direction des cabines.
Je ne le revis plus. En vain je le cherchai le soir, et la nuit
suivante, à sa place habituelle. Il restait introuvable, et
j'aurais cru à un rêve ou à une apparition si, entre-temps,

je n'avais remarqué parmi les passagers un homme por-
teur d'un brassard noir, un gros négociant hollandais
qui, on me le confirma, venait de perdre sa femme
d'une maladie tropicale. Je le voyais, grave et tourmenté, marcher en long et en large à l'écart des autres,
et à l'idée que je connaissais son intime préoccupation,
une mystérieuse gêne me prenait : je l'évitais chaque
fois qu'il passait, pour ne pas révéler par un regard que
j'en savais plus sur son destin qu'il n'en savait lui-
même.

Arriva alors, dans le port de Naples, ce curieux accident dont je crois trouver l'explication dans le récit de
l'inconnu. La plupart des passagers étaient descendus à
terre dans la soirée, moi-même j'allai à l'opéra puis dans
un des cafés illuminés de la Via Roma. Tandis qu'un
canot nous ramenait à bord, je fus déjà frappé de voir
quelques embarcations explorer les abords du navire à
l'aide de torches et de lampes à acétylène ; sur le pont,
c'était un mystérieux va-et-vient de carabiniers et de
gendarmes. Je demandai à un matelot ce qui s'était
passé. Il éluda, d'une manière qui montrait clairement
qu'on avait donné des consignes de silence, et le lendemain encore, quand le bateau reprit paisiblement sa
route vers Gênes comme si de rien n'était, aucune infor-
mation ne fut donnée à bord. C'est seulement dans les
journaux italiens que je lus ensuite le récit, agrémenté
de détails romanesques, de ce prétendu accident dans
le port de Naples. Cette nuit-là, écrivaient-ils – à une
heure de faible affluence, pour ne pas alarmer les passagers par un tel spectacle –, on devait décharger dans
un canot le cercueil d'une grande dame des colonies
hollandaises ; et au moment où, en présence du mari,
on le faisait descendre sur l'échelle de corde, un objet
pesant s'était abattu du haut des bordages, entraînant
avec soi le cercueil, ses porteurs et le mari qui le halaient
ensemble. L'un des journaux affirmait que c'était un

fou qui s'était jeté sur l'échelle, un autre prétendait que celle-ci avait cédé d'elle-même sous ce poids trop important : quoi qu'il en soit, la compagnie maritime avait apparemment tout fait pour qu'on ne sache rien de précis. On repêcha non sans mal les porteurs et le mari de la défunte, mais le cercueil plombé avait coulé à pic sans qu'on ait pu le ramener. Un autre entrefilet mentionnait que le corps d'un homme d'une quarantaine d'années avait été retrouvé dans le port, ce que nul ne semblait mettre en rapport avec l'accident relaté en termes si romanesques ; mais moi, à peine eus-je lu ces brèves lignes que je crus voir derrière la feuille le visage lunaire aux lunettes étincelantes qui me fixait, spectral, une dernière fois.

CHRONOLOGIE [1]

1881 : Naissance le 28 novembre à Vienne de Stefan Zweig, second fils d'Ida Zweig, née Brettauer, et de Moritz Zweig, issu d'une famille de négociants et de manufacturiers moraves.

1892-1900 : Scolarité au Maximilian-Gymnasium de Vienne. Premières publications de poèmes dans des revues.

1900 : Bachelier, Zweig, après un voyage culturel en France et en Italie, s'inscrit en philosophie et en lettres à l'université de Vienne.

1901 : Premier livre publié : *Silberne Saiten*, recueil de poèmes.

1902 : Traduction et édition de Verlaine et de Baudelaire. Pendant l'été, voyage en Belgique et rencontre du poète symboliste Émile Verhaeren, que Zweig fera connaître en Allemagne.

1902-1903 : Semestre à l'université de Berlin, où Zweig fréquente un cénacle de jeunes poètes, artistes et intellectuels. Nouveau voyage en France (Paris et Bretagne).

1904 : Soutenance d'une thèse de doctorat sur « La philosophie d'Hippolyte Taine ». Séjours à Londres et à Paris, où Zweig fait la connaissance de Rainer Maria Rilke et d'Auguste Rodin. Publication d'un premier recueil de nouvelles : *Die Liebe der Erika Ewald*.

1905 : Voyage en Espagne et en Algérie. Monographie sur Verlaine.

1906 : Séjour de quatre mois en Angleterre. Zweig publie des traductions de William Blake et un nouveau recueil de poèmes, *Die frühen Kränze*.

---

1. Les nouvelles de Zweig étant très nombreuses, nous n'indiquons ici que les dates de leur première publication en volume.

1907 : De retour à Vienne, Zweig s'installe seul dans un appartement de la Kochgasse. Il écrit un drame en vers, *Tersites*, et un livre sur Rimbaud.

1908 : *Tersites* est joué à Cassel et à Dresde.

1908-1909 : Séjour de cinq mois en Inde, à Ceylan et en Birmanie.

1910 : Recherches sur Dickens, publication d'une monographie sur Verhaeren.

1911 : Voyage dans le Nouveau Monde avec haltes à New York, au Canada, à Panamá, à Cuba. Deuxième recueil de nouvelles : *Erstes Erlebnis. Vier Novellen aus Kinderland* (contient notamment *Brûlant Secret* et *Le Jeu dangereux*).

1912 : Son drame *Das Haus am Meer* est créé le 26 octobre au prestigieux Burgtheater de Vienne. Début de sa liaison avec Friderike von Winternitz (1882-1971), déjà mariée et mère de deux filles, qui deviendra sa première femme.

1913 : Début de l'amitié avec Romain Rolland.

1914 : Zweig, qui passait l'été en Belgique chez son ami Verhaeren, doit regagner Vienne à l'annonce de la mobilisation générale. Il cède d'abord au climat ambiant de patriotisme et publie quelques articles en ce sens dans la *Neue Freie Presse* et le *Berliner Tageblatt*, dont sa « Lettre ouverte aux amis de l'étranger ». À partir du 1er décembre, engagé volontaire, il sert aux archives du ministère de la Guerre où le rejoindra Rilke. Il reste néanmoins en correspondance avec Romain Rolland établi en Suisse.

1915 : Zweig est envoyé en mission *(juillet)* pour rendre compte de la situation en Galicie, région qui a été occupée par l'armée tsariste avant d'être reconquise. Très impressionné par les ravages de la guerre, les souffrances des civils et l'état des blessés dans les hôpitaux militaires, il revient définitivement à son pacifisme premier.

1916 : Emménagement avec Friderike à Kalksburg, près de Rodaun. Mort de l'empereur François-Joseph, qui régnait depuis 1848. Son petit-neveu lui succède sous le nom de Charles Ier et engage des négociations secrètes avec la France pour conclure une paix séparée.

1917 : Zweig acquiert une maison à Salzbourg. Parution du drame pacifiste *Jérémie* : salué par Romain Rolland, Walter

Rathenau, Thomas Mann et Rilke, mais bien sûr impossible à jouer en Allemagne ou en Autriche, il va être monté à Zurich. Zweig obtient un congé des autorités militaires et, à la mi-novembre, passe avec Friderike en Suisse, où il côtoie Romain Rolland et visite la Croix-Rouge de Genève.

1918 : Fréquentation en Suisse d'artistes pacifistes comme le graveur belge Frans Masereel, qui illustre plusieurs de ses œuvres. Rencontre de Hesse, de Joyce, traductions de Romain Rolland. L'Autriche signe l'armistice de Villa Giusti *(3 novembre)*. Charles Ier soumet au vote du Parlement la forme de l'État : une majorité se déclare en faveur d'une république, laquelle est proclamée le 12 novembre.

1919 : Zweig réintègre sa maison de Salzbourg. Jusqu'à son émigration à Londres en 1934, il y recevra Thomas Mann, Romain Rolland, Herbert George Wells, Hugo von Hofmannsthal, Jakob Wassermann, Schalom Asch, James Joyce, Franz Werfel, Paul Valéry, Arthur Schnitzler, Maurice Ravel, Richard Strauss, Alban Berg, Béla Bartók, Arturo Toscanini… soit une bonne partie de l'élite littéraire et artistique européenne.

1920 : En janvier, Zweig épouse Friderike, après maintes difficultés dues au fait qu'elle est catholique et divorcée. Publication de *Drei Meister* (*Trois Maîtres*), essais sur Balzac, Dickens et Dostoïevski.

1922 : Assassinat de l'industriel et homme politique allemand Walter Rathenau, ami de Zweig. Parution de *Amok. Novellen einer Leidenschaft* (contient aussi la *Lettre d'une inconnue* et *La Ruelle au clair de lune*).

1924 : Les éditions Insel (Leipzig) rééditent l'essentiel de l'œuvre poétique de Zweig.

1925 : *Der Kampf mit dem Dämon* (*Le Combat avec le démon*), essais sur Hölderlin, Kleist et Nietzsche.

1926 : Collaboration, avec Georges Duhamel et Maxime Gorki, à un livre sur Romain Rolland publié à Zurich. Adaptation très remarquée du *Volpone* de Ben Jonson, qui sera monté en 1928.

1927 : Zweig prononce l'éloge funèbre de Rilke au Staatstheater de Munich. *Verwirrung der Gefühle*, nouveau recueil de nouvelles (contient notamment *La Confusion des sentiments* et *Vingt-quatre heures de la vie d'une femme*). Premier grand succès éditorial avec *Sternstunden der Menschheit* (*Les Heures étoilées de l'humanité*). Dix volumes de ses œuvres paraissent en russe à Leningrad, préfacés par Gorki.

1928 : Troisième recueil d'essais : *Drei Dichter ihres Lebens* (*Trois Poètes de leur vie*), sur Casanova, Stendhal, Tolstoï. Zweig le dédie à Gorki et rencontre enfin ce dernier lors d'un voyage de deux semaines en Union soviétique, où il est invité pour le centenaire de la naissance de Tolstoï *(septembre)*.

1929 : Première biographie : *Joseph Fouché*, publié chez Insel. Zweig prononce l'éloge funèbre de Hofmannsthal au Burgtheater de Vienne. Il écrit la légende biblique *Rahel rechtet mit Gott* (*Rachel contre Dieu*), publiée en 1930.

1930 : Séjour à Sorrente où Gorki est en cure. Première percée électorale des nationaux-socialistes au Reichstag allemand.

1931 : Séjours en France, où Zweig rencontre Joseph Roth et Albert Schweitzer. *Die Heilung durch den Geist* (*La Guérison par l'esprit*), essais sur Mesmer, Baker-Eddy, Freud.

1932 : *Marie-Antoinette*, biographie.

1933 : Hitler devient chancelier *(30 janvier)*. Incendie du Reichstag *(25 février)*, suivi du vote des pleins pouvoirs à Hitler et de l'instauration d'un régime d'exception en Allemagne. En Autriche, le chancelier Dollfuss dissout le Parlement *(4 mars)* et gouverne désormais par décrets. À Berlin, premier autodafé de livres d'auteurs juifs et communistes *(10 mai)*. Zweig accepte de participer à *Die Sammlung*, revue d'exil éditée par Klaus Mann, puis se rétracte en découvrant le caractère trop « politique » des autres contributions. Cette lettre de rétractation est utilisée sans son accord par son éditeur allemand chez Insel, ce qui lui vaut d'être accusé de complaisance envers le régime. Départ pour Londres *(20 octobre)*. Recherches au British Museum pour une biographie de Marie Stuart.

1934 : À Vienne, un soulèvement ouvrier est écrasé avec l'appui de milices nationalistes *(12-16 février)*. Perquisition chez Zweig à Salzbourg *(18 février)*. Ulcéré, il repart pour Londres avec l'idée de s'y établir, rejoint par sa secrétaire et désormais compagne Lotte Altmann. Le chancelier Dollfuss est assassiné par des nazis autrichiens *(25 juillet)*, Schuschnigg lui succède. Zweig publie son livre sur Érasme, autoportrait caché où il se justifie de ses prises de position récentes.

1935 : Tournée de conférences aux États-Unis. Le 24 juin a lieu à Dresde la première de l'opéra *Die schweigsame Frau* de Richard Strauss, dont Zweig a écrit le livret. Son nom figure sur les affiches, ce qui finit par faire scandale : après trois représentations, l'opéra est interdit sur tout le territoire allemand. Parution de *Marie Stuart*.

1936 : *Castellion contre Calvin*. Le chancelier Schuschnigg signe un accord avec Hitler *(11 juillet)* garantissant le *statu quo* en Autriche, mais doit admettre dans son gouvernement des personnalités pronazies. Invité au congrès du PEN-Club à Buenos Aires, Zweig fait étape à Rio de Janeiro où il est presque reçu en chef d'État *(août)*.

1937 : *Der begrabene Leuchter* (*Le Chandelier enterré*), légende juive. Zweig vend sa maison de Salzbourg et se sépare définitivement de Friderike, avec qui il restera pourtant en correspondance jusqu'à sa mort.

1938 : Séjour au Portugal avec Lotte Altmann. Après l'annonce d'un référendum sur l'indépendance de l'Autriche, où une majorité aurait pu voter contre l'annexion, Schuschnigg est contraint de démissionner sur les pressions de Berlin et des nazis autrichiens ; les troupes allemandes pénètrent en Autriche et le nouveau gouvernement Seyss-Inquart ratifie l'Anschluss *(13 mars)*. Annexion du territoire tchèque des Sudètes *(1er octobre)*. « Nuit de cristal » dans l'ensemble du Reich : saccages, incendies de synagogues et une centaine de morts *(9-10 novembre)*. *Magellan*, dernier livre publié par Zweig en Autriche. En décembre, il demande la nationalité britannique et divorce officiellement de Friderike qui, d'origine juive, s'est réfugiée à Paris.

1939 : Parution de *Ungeduld des Herzens* (*La Pitié dangereuse*), à Amsterdam et à Stockholm. Démantèlement de la Tchécoslovaquie et création du protectorat allemand de Bohême-Moravie *(15 mars)*. Au Conway Hall, Zweig participe à une cérémonie à la mémoire de Joseph Roth qui vient de mourir à Paris *(mai)*. Invasion de la Pologne et début de la Seconde Guerre mondiale *(3 septembre)*. Zweig épouse Lotte Altmann *(6 septembre)*, ils emménagent près de Bath. Éloge funèbre de Freud.

1940 : Zweig devient citoyen britannique *(mars)*. L'Allemagne envahit la Belgique, la Hollande et la moitié nord de la France. Craignant une invasion de la Grande-Bretagne, Zweig accepte une invitation au Brésil pour pouvoir quitter l'Europe avec sa seconde femme *(fin juin)*. Longue halte à New York, où Friderike et ses deux filles les rejoignent, puis départ pour Rio *(août)*. Tournée de conférences au Brésil puis au Chili, en Uruguay et en Argentine *(octobre-novembre)*. Obtention d'un permis de séjour brésilien.

1941 : Retour à New York, puis séjour à New Haven : recherches sur Amerigo Vespucci à la bibliothèque de Yale *(février-avril)*. Location d'une petite villa à Ossining, près de New York, pour l'été. Le visa de transit américain arrivant à expiration, le couple retourne à Rio *(27 août)* puis s'installe à Petrópolis *(septembre)*. Publication de *Brasilien, Land der Zukunft* (*Brésil, terre d'avenir*). Zweig achève son autobiographie et l'envoie à Bermann-Fischer. Attaque de Pearl Harbor par l'aviation japonaise *(7 décembre)* et entrée en guerre des États-Unis.

1942 : Nouvelles de la prise de Singapour par l'armée japonaise *(15 février)* et des succès de Rommel en Libye. Stefan et Lotte Zweig se suicident à Petrópolis *(22 février)*.

BIBLIOGRAPHIE

ÉDITION ORIGINALE

Stefan ZWEIG, « Der Amokläufer », in *Neue Freie Presse* (4 juin 1922), p. 31-40 ; repris in *Meisternovellen*, Francfort-sur-le-Main, Fischer, 2001.

SUR STEFAN ZWEIG

Europe, n° 794-795, juin-juillet 1995 (numéro spécial Zweig).

Jean-Jacques LAFAYE, *L'Avenir de la nostalgie. Une vie de Stefan Zweig*, Paris, Éditions du Félin, 1994.

Jacques LE RIDER, « Stefan Zweig. Des sommets de la gloire à l'exode et au suicide », in *Journaux intimes viennois*, PUF, 2000.

Magazine littéraire, n° 351, février 1997.

Magazine littéraire, n° 486, mai 2009.

Oliver MATUSCHEK, *Drei Leben. Stefan Zweig. Eine Biographie*, Francfort-sur-le-Main, Fischer, 2006.

Serge NIÉMETZ, *Stefan Zweig. Le voyageur et ses mondes*, Paris, Belfond, 1996.

Donald A. PRATER, *Stefan Zweig*, trad. Pascale de Mezamat, Paris, La Table Ronde, 1988.

Klemens RENOLDNER, Hildemar HOLL et Peter KARLHUBER (dir.), *Stefan Zweig : instants d'une vie. Images, textes, documents*, trad. Jean-Luc Pinard-Legry, Paris, Stock, 1994.

Brigitte VERGNE-CAIN et Gérard RUDENT, « Amok à Goa », *Austriaca*, n° 34, p. 91-96 (sur l'adaptation filmée d'*Amok* par Joël Fargues, France, 1993).

Stefan ZWEIG, *Le Monde d'hier. Souvenirs d'un Européen*, trad. Serge Niémetz, Paris, Belfond, 1993.

TABLE

AMOK

Mise en page par Meta-systems
59100 Roubaix

N° d'édition : L.01EHPN000304.N001
Dépôt légal : janvier 2013
Imprimé en Espagne par Novoprint (Barcelone)